Les roucasseries
3

JEAN ROUCAS

Jean Roucas

présente

Les roucasseries

Ginette - Jean-Loup - Eugène Poulossière -
Madame Grinder - Docteur Jacquot -
L'abbé Favier - Maurice - Bruno Tortellini -
Guytou & Jean-Xavier

Tome 3

Éditions J'ai lu

Merci à Martial Courtois,
Éric Sainclair
et Gilbert Étienne
pour leur précieuse collaboration.

C'est un Belge qui va dans un restaurant de fruits de mer, il appelle le garçon et lui demande :

– Je voudrais des moules avec des frites, comme d'habitude, quoi...

On lui sert les moules, les frites, le plateau de fruits de mer avec les huîtres, les bigorneaux, les tourteaux, tout ça sur du goémon pour faire joli, et le Belge mange. Au bout d'un moment, le maître d'hôtel vient le voir et lui dit :

– Ça va ? Monsieur se régale ?

– Ah ça, écoutez ! La salade elle est bonne, mais elle est pleine de cailloux, hein !

☆

C'est une dame belge qui va vouair le docteur Jacquot, elle arrive dans son bureau et lui dit :

– Je ne sais pas ce que j'ai, docteur, mais alors, oh ! la la ! je dois avouair un problème sexuel : j'ai mal dans les zones hétérogènes, c'est quelque chose de terrible !

– Écouteeez, je vais vous examineer...

Alors le docteur Jacquot l'ausculte, mais il ne trouve rien de spécial et lui répond :

– Écoutez, je ne sais pas, je ne comprends pas ! Ça vous fait vraiment très mal ?

– Au point que je ne peux même plus m'asseoir des fois, hein !

– Évidemment, c'est très gênant... Est-ce que votre mari, excusez-moi de vous poser la question comme ça mais il le faut, est-ce que votre mari a une forte érection ?

– Ah non, il a une Ford Escort !

☆

Un jour, le petit Guigui rentre de l'école en courant et dit à Ginette :

– Maman, maman, ça y est, je sais où je suis né ! Je suis né dans un œuf !

– Dans un œuf ? Pourquoi tu dis ça ?

– Ben parce que chaque fois que je passe devant la concierge je l'entends qui dit : « Tiens, voilà le fils de la poule du troisième ! »

C'est une péritapé... péripaté... disons une prostituée qui va voir le docteur Jacquot pour faire un examen gynécologique. Alors le docteur Jacquot l'examine, et tout à coup il lui pose une question très technique, très médicale :

– Écouteeez ! Vous perdez beaucoup, pendant vos règles ?

Et la prostituée lui répond :

– Oh ! la la ! au moins cinq mille balles par jour !

☆

Le docteur Jacquot est très moderne, il a même engagé une assistante médicale. Et comme elle est très mignonne, un soir il l'invite à prendre l'apéro et il lui fait :

– Écouteeez, que diriez-vous d'un doigt de Martini ?

Alors elle dit :

– Vous savez, je ne bois jamais d'alcool. Mais pour le doigt je suis d'accord.

☆

Vous savez, Ginette et Jean-Loup ont régularisé leur situation : ils se sont mariés ! Jean-Loup est ajusteur de pin's dans une usine en

Seine-Saint-Denis, et Ginette assistante médicale chez le docteur Jacquot, aow. Donc ça va, ils ne roulent pas sur l'or mais enfin ça roule.

Une fois, en pleine nuit, Ginette fait un cauchemar et se réveille en criant :

– Au secours ! Au secours !

Alors Jean-Loup allume et lui dit :

– Tais-toi ! Qu'est-ce qui te prend ?

– Oh ! la la ! je viens de faire un de ces cauchemars, aow ! Je rêvais que je me promenais au bord d'un ravin, et puis tout à coup j'ai ma talonnette qui casse, je glisse et je tombe dans le ravin. Heureusement que j'ai pu me retenir à une racine, oh la la, je l'ai serrée de toutes mes forces, aowww !

Et Jean-Loup lui fait :

– Bon, ça va ! Maintenant que tu es sauvée tu lâches la racine, tu seras gentille !

☆

Ça se passe en Belgique. C'est un monsieur dont la femme va accoucher. Il est très content, il se précipite à la maternité, et puis il attend dans le couloir avec plusieurs futurs papas qui font les cent pas tout comme lui. Au bout de cinq minutes, l'infirmière sort avec le bébé et le lui met dans les bras en disant :

– Félicitations, c'est un garçon !

Là, tout à coup, il y a un mec qui se jette sur lui et qui lui arrache le bébé en criant :

– Permettez ! J'étais là avant vous, quand même !

☆

Les programmes télé, en ce moment, c'est pas la joie ! C'est tellement nul qu'un soir Jean-Loup et Ginette se couchent de bonne heure. Jean-Loup s'endort aussitôt, mais Ginette se sent l'âme rêveuse, aow... Et comme elle n'a pas sommeil, elle ne sait pas quoi faire pour s'occuper. Alors elle se tourne vers Jean-Loup et lui dit :

– Jean-Loup, aow, t'as pas envie, aow ?

Mais Jean-Loup continue de dormir et Ginette de s'ennuyer. Et quand elle s'ennuie, elle a du vague à l'âme. Alors comme ça, d'un coup sec, elle lui arrache un poil de la zizoune en murmurant d'un air rêveur :

– Jean-Loup, je t'aime !

Et puis elle en tire un autre en ajoutant :

– Un peu...

Et puis un troisième :

– Passionnément...

Un quatrième :

– À la folie...

Mais l'autre ne bouge toujours pas. Alors Ginette s'énerve, arrache une grosse poignée de poils et s'écrie :

– Pas du tout !

Là, Jean-Loup ouvre quand même les yeux et lui dit :

– Bon, quand t'en auras fini avec les marguerites, on pourra peut-être s'occuper du poireau !

☆

Vous avez vu ça ? Maintenant, Guytou et Jean-Xavier font de la pub ! Je les ai vus à la télé ! Ils sont à un feu rouge, ils se rencontrent en bagnole, ils se regardent et il y en a un qui dit à l'autre :

– Oh ! je vous verrais bien en Fiat Homo !

☆

Ça se passe à Londres, lors d'un sommet de chefs d'État. Vous savez ce que c'est : les chefs d'État se réunissent pour discuter, on ne sait pas trop de quoi d'ailleurs, de l'état du monde, paraît-il. Alors ils sont tous allés là-bas, et comme c'est assez emmerdant, ils ont tous emmené leur femme. Quand ils sont invités à Hawaï ou ailleurs, dans des coins où il y a du soleil, ils les laissent à la maison. Mais là ils les ont emmenées, parce que Londres, surtout à cette époque de l'année, ce n'est pas folichon folichon.

Pendant que les hommes discutent de choses et d'autres, les femmes sont allées prendre le thé. Il y a là Madame Mitterrand, Madame Bush, Madame Major, Madame Gorbatchev et les autres, et tout en prenant le thé elles papotent. Elles cherchent une définition internationale du zizi. C'est une chose utile, surtout quand on voyage beaucoup. Alors il y a Madame Major qui dit :

– Chez nous, en Angleterre, on appelle le zizi le gentleman !

– Ah ? Et pourquoi ça ? s'étonne Madame Mitterrand.

– Parce qu'il se lève en présence d'une dame !

Là, il y a Madame Gorbatchev qui intervient :

– Chez nous, il y a quelques mois, on l'appelait le partisan ! Le partisan parce qu'on le voyait très peu et qu'il pouvait attaquer par-devant comme par-derrière, à n'importe quel moment. Et chez vous, Madame Mitterrand ?

Madame Mitterrand réfléchit et dit :

– Ben chez nous, on appelle ça la rumeur.

– Pourquoi ?

– Parce qu'elle ne cesse de grossir en circulant de bouche en bouche !

☆

Quel séducteur, ce Bruno Tortellini ! Un vrai play-boy ! Tous les samedis il va au bal, un petit bal très chic en Seine-Saint-Denis... avec un super-orchestre, « Coups et Blessures » qu'il s'appelle, c'est génial ! Un soir, il drague une Ginette pas trop farouche : cinq minutes après elle l'invite chez elle, un petit pavillon de la banlieue nord. Et juste comme ils arrivent dans la chambre, la Ginette dit au Bruno :

– Il faut que je te dise un truc, aow... Voilà, je porte une perruque, aow ! Ça ne te gêne pas, aowwww ?

– Non, ça fait rien...

Alors Ginette enlève sa perruque. On dirait Fabius, elle n'a plus un poil sur le caillou.

– Il faut que je te dise encore un truc, aow... Sur les conseils d'une copine, aoww, je me suis fait mettre des seins artificiels... c'est la mode !

Effectivement elle se dévisse un sein, et pareil avec l'autre. Et puis elle ajoute :

– Bon, il faut que je dise un dernier truc, aow... Voilà : mon bras gauche c'est pas un vrai bras, c'est une prothèse !

Et elle enlève le bras. Là, le Bruno Tortellini, ça lui fait quand même tout drôle. Il descend dans le jardin pour se remettre, allume une cigarette, et il fait :

– Mama mia, qu'est-ce que c'est que ça ! Elle est en kit, cette gonzesse ? Mais cé pas possible, cé pas vrai, elle enlève les cheveux, elle enlève les seins, elle enlève le bras...

Juste à ce moment-là, Ginette ouvre la fenêtre de sa chambre et lui demande :

– Alors, chéri, tu viens ?

Et Bruno lui répond :

– Non ! Non, non ! Tu sais ce qui m'intéresse... alors jette-le par la fenêtre !

☆

C'est madame Grinderchch qui fait ses courses. Et comme c'est le week-end, elle emmène son petit-fils, le petit Guiguichch, faire les courses avec elle. À un moment ils passent rue Saint-Denis, parce qu'elle va chez un Arabech qui ne ferme jamaischch. Il reste ouvert même la nuitchch ! Rue Saint-Denischch ! Mais juste avant il y a une maison close, un... un claque, quoi... et le petit Guiguichch demande :

– Oh, Mamie, qu'est-ce qui se passe, là ? Qu'est-ce qu'elles font toutes, les dames ?

– Rien du toutchch ! Elles papotent ! Elles ne font rienchch !

Mais Guigui, il est quand même intrigué, alors il remet ça le lendemain :

– Eh Mamie, qu'est-ce qu'elles faisaient, les dames devant la maison ?

– Rien du toutchch ! Fous-moi la paixch et va regarder Jacques Martinchch !

Le petit Guigui insiste :

– Mais Mamie, qu'est-ce..

– Bon ! Ben je vais te dire, c'est une maison... une maison où on fabrique les femmes ! Voilà ! C'est là qu'on fait les femmes !

L'après-midi le petit Guigui va se promener, et quand il revient madame Grinderch lui demande :

– Alors, tu t'es bien amusé ?

– Bah tu sais, Mamie, je suis allé dans la maison : je suis rentré et j'ai regardé comment ils fabriquaient les femmes ! Il y avait justement un monsieur qui était en train de faire une dame, mais il n'avait pas fini. Quand je suis arrivé, il était en train de faire le trou !

☆

C'est François Mitterrand qui visite Sainte-Julie-du-Poitou. Il est allé poser une plaque sur une très très belle chapelle du douzième siècle qui avait été brûlée par les Teutons, saccagée par les Anglais et rasée par Gillette en 1912. Le maire est là, bien sûr, et tout le monde est aux petits soins pour le président.

Quand la cérémonie est finie, Mitterrand va se promener au bord de la Vienne... et voilà-t'y pas que le François trébuche et tombe à l'eau, cré vingt dieux ! C'est la panique !

Voyant ça, Eugène Poulossière vire sa casquette, jette sa veste et plonge dans l'eau. Et hop, en un rien de temps il ramène François Mitterrand sur la berge, dis donc !

Le président s'ébroue, recrache une petite carpe et lui dit :

– Mon brave, vous pouvez dire que vous m'avez sauvé ! Comment vous appelez-vous ?

– Eugène Poulossière, monsieur le président !

– Eh bien, mon cher Poulossière, qu'est-ce que je pourrais faire pour vous remercier ? Qu'est-ce qui vous ferait plaisir ?

– Ben des obsèques nationales, monsieur le président...

– Des obsèques nationales ? Quelle drôle d'idée ! Et pourquoi ça ?

– Ben c'est sûr : quand ils vont savoir que je vous ai sauvé, ils vont me casser la gueule !

☆

Une histoire très très mignonne. C'est un monsieur qui veut changer de nom. Vous savez ce que c'est : il y a des noms impossibles, c'est vrai, ça existe. Il y a des monsieur Merde, des madame Cocu, des mademoiselle Le Trouduc, des Boissansoif, des Pinausec, enfin des noms comme ça... Là, c'est un Belge qui s'appelle Désiré Moncul. Et comme il en a marre, il va voir l'employé de mairie et lui dit :

– Écoutez, je voudrais changer de nom parce que le mien est vraiment trop dur à porter, c'est insupportable de s'appeler comme ça !

Alors l'employé lui demande :

– Ah bon ? Et vous vous appelez comment ?

– Désiré Moncul !

– Oui, en effet, je comprends... Et vous voulez vous appeler comment ?

– Albert Moncul !

☆

C'est le Premier ministre israélien, Yitzhak Shamir, qui est invité à la Maison Blanche. Il est reçu par le Président George Bush et il lui dit :

– Tu en es là bien installé, hein ! Ça, la Maison Blanche, c'est vraiment central ! C'est formidable ! Vraiment ces meubles, ces biros... Surtout le biro de la Présidente, elle a vraiment un très joli biro !

George Bush dit :

– Ouais, ouais ! Formidable, j'ai même plusieurs lignes téléphoniques !

– Ah ! je voudrais bien voir ça, parce que chez nous, la communication, elle laisse à désirer !

Juste à ce moment-là, il voit un énorme téléphone dans le bureau de George Bush, mais un téléphone gigantesque, un truc qui pèse au moins des centaines de kilos... Et Shamir dit :

– Qu'est-ce que c'est, cé gros téléphone, là ?

– C'est une ligne directe pour parler avec la Lune.

– Incroyable ! Pas possible ! Je le peux essayer ?

– Bien sûr, allez-y !

Alors le Shamir, il décroche l'énorme téléphone, chkrrrr, et effectivement il a la Lune, dis donc ! Il parle, il parle, ça dure au moins deux heures, et quand il raccroche enfin il demande à George Bush :

– Combien je dois ? Je paye la communication, combien je dois ?

– L'interplanétaire c'est un peu cher, ça fera huit millions de dollars !

– Dis donc, c'est pas donné, hein ! Si j'avais su ! Eh bien alors !

Un mois après, c'est George Bush qui est reçu à Jérusalem chez Yitzhak Shamir, et le Président lui dit :

– C'est pas mal, tu es bien installé, toi aussi !

– Vi, vi, vi !

Soudain, sur le bureau du Premier ministre, il voit un tout petit téléphone. Mais alors tout petit, rikiki, pas plus gros qu'un pin's, et George Bush lui dit :

– Qu'est-ce que c'est, ce truc ?

– Ça, c'est un téléphone spécial... c'est pour parler avec Dieu. Tu appelles et tu parles directement avec Dieu !

– Je peux essayer ?

– Bien sûr !

Bush attrape le petit téléphone, fait un numéro comme ça, chkrrrr, chkrrrr... et effectivement, Dieu lui répond. La conversation dure une heure, deux heures, trois heures, et puis le Président finit par raccrocher et demande :

– Combien je dois ?

– Rien du tout : vingt-cinq centimes.

– C'est pas cher !

– C'est l'avantage de l'interurbain !

☆

C'est madame Grinder qui va chez le pharmacien et qui dit :

– Bonjour monsieur, je voudrais un thermomètre ! C'est pour mon mari qui est malade.

Et le pharmacien lui demande :

– Rectal ou frontal ?

– La marque, je m'en fous !

☆

Toujours la même pharmacie, mais cette fois c'est un travailleur immigré qui vient pour demander :

– Bijour Mam'zelle. Eh, voilà, jé suis constipé. Jé voudrais du Tim !

– Du Tim, aow ? s'étonne Ginette. Je ne connais pas, aoww ! Qu'est-ce que c'est ?

– Ah ! c'est un midicament formidable : quand on est constipé, il faut achiter du Tim.

– Comment vous dites que ça s'appelle ?

– Du Tim !

– Attendez, je regarde dans ma liste... Non, j'ai pas ça. J'ai de la Solutricine vitamine C, de l'huile de ricin, mais pas de... Comment vous dites que ça s'appelle, déjà ?

– C'est... pour li constipés ! Du Tim !

– Non, j'ai pas ça du tout, vous êtes sûr que ça existe ?

– Ah, jé suis sûr ! Parce que moi, le patron, quand jé travaille pas, il me dit toujours « Mohamed, ti me fais chier ! ».

☆

C'est le fils d'Eugène et de Fernande Poulossière. Il a huit ans. Un jour, il revient du catéchisme en pleurs et il dit :

– Papa, maman ! Hééé, oh, c'est le curé ! Le père Favier, y veut pas que je fasse ma communion.

– Le Favier ? Y veut pas ? Et pourrrquoué ?

– Ch'sais pas, il a juste dit qu'y veut pas que je fasse ma communion !

– Je vais aller le vouérrrr, moué, l'curé ! Viens, la Fernande, habille-toué ! Mets la robe des dimanches, moué j'mets le costume, on va aller voouérrr le pèrrre Favier.

Alors ils vont voir le père Favier et l'Eugène lui dit :

– Alors, mon pèrrre, c'est vrai ce qu'on m'dit à c't heurrre ? Vous ne voulez pas tantôt que le petit fasse sa communion ?

– Ah non ! C'est impossible, mon fils ! Écoutez, votre enfant, il est trop nul en catéchisme !

– Oh ben ch'sais, il a p'têt du mal à apprendre mais c't'un bon gars, vous savez ! Faut vouérrr, il boit déjà comme son pèrrre !

– Je vous dis qu'il est nul en catéchisme. Il ne savait même pas que Jésus était mort !

– Ben, c't-à-dire... par chez nous, la télé est en panne : alors vous voyez, on n'a même pas su qu'il était malade !

☆

C'est Ginette qui est invitée à un grand dîner, alors sa mamie, madame Grinderch, lui fait des recommandations :

– Tu comprends, le baron et la baronne du Fermoir de Monsac sont des gens très biench, donc tu dois absolument éviter de dire des grossièretésch.

– Oui, Mamie, aow !

Du coup, la Ginette a tellement peur de dire des grossièretés qu'elle n'ose plus parler. Même pour les mots les plus innocents, elle cherche des formules... Il faut dire qu'à côté de la baronne Adeline du Fermoir de Monsac, qui est une femme vraiment très très raffinée, la baronne de Rothschild fait plutôt penser à Valérie Lemercier, vous voyez le genre ! À un moment, au dessert, Ginette se décide quand même à demander les deux prunes qui sont restées dans la corbeille et elle dit :

– Pardon, madame la baronne, est-ce que ce serait un effet de votre bonté de me passer... euh... s'il vous plaît, les seins de Vénus ?

Alors la baronne du Fermoir de Monsac lui passe les deux prunes et y ajoute deux pommes en disant :

– Pendant que j'y suis, je vous mets aussi les couilles d'Hercule !

☆

À Sainte-Julie-du-Poitou il y a un couvent, le couvent des sœurs retrousseuses. C'est une belle matinée de printemps mais la mère Marie-Berthe de l'Immaculée-à-Trois-Reprises n'a pas le temps d'en profiter, elle travaille dans son bureauch. Parce que ça travaille, les Mères Supérieures, il ne faut pas croire ! Elles font l'économat, elles notent les prières : « Vous me ferez deux pâtés et trois ovaires », etc. Pendant ce temps-là, dehors, les bonnes sœurs font du vélo et s'amusent comme des folles. À un moment, à force d'entendre rire et crier, la mère Marie-Berthe de l'Immaculée-à-Trois-Reprises s'énerve, ouvre sa fenêtre et s'écrie :

– Oh ! Écoutez, je travaille ! Allons, mes sœurs ! Arrêtez de faire du bruit ou je remets les selles !

☆

C'est un jeune homme qui est très très timide. Il voudrait acheter des préserv... des cap... non, pas des pastilles Pulmoll, des revêtements pour Popaul ! Et il ne sait pas comment faire. Il est tellement timide qu'il ne peut pas prononcer le mot, alors il se dit: « Je vais essayer de me faire comprendre. »

Il entre dans la pharmacie, il s'approche du comptoir, il pose cent francs sur la caisse et il ouvre sa braguette. Le pharmacien le regarde, ouvre lui aussi sa braguette, prend les cent balles et dit :

– J'ai gagné, la mienne est plus grande !

☆

Toujours à Sainte-Julie-du-Poitou, il y a une congrégation religieuse très peu connue : celle des sœurs perceuses. Ce jour-là, mère Marie-Berthe de l'Immaculée-Plusieurs-Fois va faire les courses avec quelques novices. En tout, ça fait six bonnes sœurs. Elles arrivent au marché, elles regardent les produits, elles hument les fromages, elles tâtent un petit peu, puis elles arrivent devant l'étalage de légumes et il y a mère Marie-Berthe qui dit :

– Bon, eh ben alorrrs, pour le dîner, voyons voir ! Oh, les beaux concombrrres !

– Je vous en mets combien, ma mère ? lui fait la marchande.

– Mettez-m'en sept.

Alors l'une des novices, sœur Jocelyne, demande à la Mère Supérieure :

– Je ne comprends pas, ma mère, on n'est que six et vous achetez sept concombres ?

Et Marie-Berthe de lui répondre :

– Ben oui, le septième, on le mangera !

☆

Guytou et Jean-Xavier, c'est vraiment deux épées de race. Parfaitemeng, des homotextuels ! Guytou, lui, il est représentant voyageur de commerce en tentes de camping. Alors il se déplace de ville en ville pour faire des démonstrations, ça marche très bien et, sa tournée terminée, il rentre à Paris pour retrouver Jean-Xavier. Mais un soir, il est là, au volant de sa Fiat Homo, et il se trompe de chemin. Il confond une route départementale et un chemin vicinal, une chèvre traverse juste à ce moment-là et il l'écrase.

Un instant après le paysan arrive :

– Oh mais ça va pas ? Non mais r'gardez-moi ça !

– Écoutez, je suis désolé, je ne l'ai pas vue ! Il n'y avait pas de visibilité. J'avais le pied sur la pédale, comme d'habitude, mais j'ai rien pu faire, je n'ai pas pu l'éviter. Je suis vraiment désolé !

– Ça m'la rendra point ! Et comment j'vais faire, maintenant, sans ma chèvre ?

Alors Guytou lui dit :

– Si vous voulez, je peux la remplacer...

Et le paysan lui fait :

– Ça, certainement pas...

– Et pourquoi ?

– J'aime pas les pédés !

☆

C'est la Fernande Poulossière qui est malade, elle a attrapé une conclusion des Pyrénées Orientables. Alors l'Eugène a fait venir le vétérinaire qui lui a pincé les cloisons nasales et demandé :

– Faites « Meuh » !

Et la Fernande, qui était dans le coma, a fait :

– Bêêê...

Après, il a fait venir le rebouteux. Vous savez, ils ont de ces trucs, les rebouteux... Par exemple ils font boire de la bave de crapaud. Encore faut-il en trouver, car il y a des crapauds qui ne bavent pas... Mais rien à faire, voilà que la Fernande passe l'arme à gauche.

Alors l'Eugène fait venir les croque-monsieur pour la mise en bière. Ils attrapent la Fernande, un par la tête, un autre par les pieds, et ils la foutent dans le cercueil. Et juste comme ils referment le couvercle, voilà-t'y pas qu'ils se cassent la gueule ! La bière tombe par terre, la Fernande roule sur le sol, se tape la tête... ça la réveille et elle s'exclame :

– Ah ! Qu'est-ce qui se passe donc ? Oh, mais je me sens comme un grand mieux !

Bref, la voilà sauvée. Seulement, deux ans après, la Fernande remet ça. Encore une conclusion des Pyrénées et allez hop ! Elle y repasse. Les croque-mitaines reviennent, la refoutent dans la bière, referment le couvercle, et là, il y a le père Eugène qui leur dit :

– Eh ! Ce coup-ci, faites bien gaffe à la marche !

☆

Maurice, vous connaissez ? Maurice, c'est un fana d'opéra. Il adore ça. Il a tout vu, tout entendu, *les Noces de Figaro* et le reste. Un jour, il décide d'emmener avec lui un copain belge qui n'y a jamais été. Alors ils sont là, l'opéra commence par le grand air juvénile de l'acné, et à ce moment-là il y a le Belge qui dit :

– Mais dis donc, qu'est-ce que c'est que ce type mal élevé qui nous tourne le dos depuis un quart d'heure ?

– Il n'est pas mal élevé, c'est le chef d'orchestre. Et il ne nous tourne pas le dos, il dirige !

– Mais pourquoi est-ce qu'il menace avec son bâton la femme qui est sur la scène et qui a l'air si sympathique, hein ?

– Il ne la menace pas !

– Alors pourquoi elle crie ?

☆

Ça se passe dans un bistrot des Champs-Élysées, une espèce de piano-bar assez chic. Là, il y a deux messieurs très chics également qui discutent, et il y en a un qui dit à l'autre :

– Et finalement... je vois que tu as réussi ta vie... T'es content ?

– Ah oui, tout va bien, tout va bien.

– Je ne sais pas mais... et sur le plan sexuel ?

– Ah oui, ça aussi, pas de problèmes. Avec ma femme, ça se passe très bien. On fait ça à la Tarzan, c'est formidable !

– Comment ça, à la Tarzan ?

– Ah, tu verrais ça, c'est extraordinaire ! Déjà, je mets un slip léopard que j'ai acheté à Euro-Disneyland avec une queue de Mickey. Alors je grimpe sur l'armoire ; ma femme, elle, est accroupie sur la moquette et fait Tchita : « ahaaa ahaaa ! » On a attaché une corde au lustre pour que je puisse me lancer. Et au moment où je sens que ça vient, au moment où je suis prêt psychologiquement, hop je me pends à la corde et puis « Ohohohohoh ! », je me laisse tomber sur ma femme qui est en bas !

– C'est curieux ! Et tu es heureux, tu t'éclates ?

– Non, pas tant que ça, mais ça fait tellement rire les gosses !

☆

C'est Bernard Tapie qui engage un nouveau collaborateur et qui lui dit :

– Bon, je vous donne une chance, moi j'aime bien aider les jeunes !

L'autre n'est pas très dégourdi et lui répond :

– Ben merci, Monsieur Tapie !

Bref, on sent qu'il va dégager vite fait. Cinq minutes après, Tapie lui demande :

– Bon, vous allez me retenir un aller-retour Paris-Marseille pour ce soir dix-huit heures !

– Euh, oui, Monsieur Tapie !

Le gars disparaît une heure, et quand il revient Bernard Tapie lui fait :

– Vous avez fait ce que je vous ai dit ? Mon aller-retour pour Marseille, c'est arrangé ?

– Ben non...

– Comment ça, non ? Et pourquoi ?

– À Air Inter ils m'ont dit que c'était complet, à Air France aussi...

– Et alors ?

– Et après j'ai été à Air Liquide, ils m'ont dit que j'étais con !

☆

Tous les samedis soir, Ginette va au bal en Seine-Saint-Denis. C'est super, aow, et il y a un orchestre extra : « Coups et Blessures ». Et comme toutes les jeunes filles, elle va au bal dans l'espoir de rencontrer l'homme de sa vie...

Justement, un soir, elle aperçoit un jeune homme charmant, timide, relégué dans un coin de la buvette et tout... Elle s'approche de lui et lui demande :

– Bonsoir, aow ! Vous êtes de la Cité, aoww ?

Et l'autre lui répond :

– Ben ouais... Euh, ça fait pas longtemps, pfououou...

Bref un type plutôt sympa, mais qui fait des bruits bizarres en parlant :

– Ouais, je viens d'arriver, quoi, pfououou, parce qu'avant j'avais un boulot sur Paris et tout, pfououououou... Bon, ben... on prend un verre ?

– Oh ouais, aoww !

– Qu'est-ce que je vous offre ?

– Je sais pas ! Euh, un whisky-Coca !

– Deux whiskies-Coca, pfououououou... !

Ils discutent, ils discutent, et à un moment Ginette finit par lui dire :

– Excusez-moi, mais je ne comprends pas : pourquoi vous faites tous ces bruits en parlant, vous avez un problème ?

Alors le mec lui explique :

– Oh non, si vous voulez, c'est congénital pfouououou... Comme disent les docteurs, pfouououou... je fais de l'aérophagie.

Alors la Ginette saute sur le mec, lui ouvre sa braguette, et juste comme elle lui sort la quéquette le type lui dit :

– Ben vous, vous êtes vachement directe, comme gonzesse !

– Non, non, pas du tout, c'est pour regonfler mon vélo !

☆

C'est le père Poulossière. Comme tous les jours sur le coup de midi, il va faire un tour au « Joyeux cor de chasse », l'unique café de Sainte-Julie-du-Poitou. Un café qui fait librairie, coiffeur, et il y a même des mauvaises langues qui disent que la nuit ça fait maison close. Alors le père Poulossière arrive et il voit le docteur Jacquot qui est le médecin du village.

– Bonjour, docteur Jacquot ! Comment va ? Mais dites-moi, j'ai appris que la mère Angèle était malade ? Qu'est-ce qu'elle a ?

– Écouteeez ! Ça ne va pas fort, je viens de la voir, elle est dans un état comateux.

– Un état comment ?

– Comateux !

– Ah, ben dites donc, si elle est comme ma queue, elle est pas prête de se relever !

☆

C'est un Belge qui veut apprendre la plongée. Ça se passe l'été. Il a toujours rêvé de découvrir les fonds sous-marins. Le moniteur lui donne quelques conseils et lui dit :

– Ben écoutez, maintenant, je crois que vous allez pouvoir faire un premier essai. Alors équipez-vous, plongez, et surtout pas de panique, je suis là et je vous surveille.

Le Belge va chercher son matériel, met ses palmes, son masque, ses bouteilles, et il plonge. Mais trente secondes après il remonte en suffoquant :

– Ah, je n'savais pas que c'était aussi dur, une fois ! Oh, que c'est dur ! J'ai cru mourir !

Et le moniteur lui dit :

– Évidemment, vous êtes bien le premier mec que je vois plonger avec des extincteurs !

☆

C'est Ginette qui rentre à la maison tout excitée et qui dit à sa grand-mère, madame Grinderch :

– Oh Mamie, il m'arrive un truc incroyable ! Il y a un mec qui m'a donné cinquante balles !

– Cinquante francs, mais pour quoi faire-chch ?

– Ben on était dans le square, et il m'a juste demandé de faire de la balançoire.

– Mais tu n'as rien compris, ma fille, cet homme est un satyrechch ! Un satyrechch ! S'il t'a demandé de faire de la balançoire, c'était pour voir ta culottechch. Ne te laisse plus faire !

– Ah bon, tu crois, Mamie ?

– Je sais ce que je dis : j'en ai connu, des comme ça, bien avant la guerrechchch !

Le lendemain, Ginette revient et lui dit :

– Eh, Mamie, Mamie ! Le mec, il m'a encore donné cinquante francs.

– Mais c'est pas possible ! Tu n'as pas recommencéch ?

– T'inquiète pas, je l'ai eu...

– Comment ça, tu l'as eu ?

– Je n'avais pas mis de culotte !

☆

C'est Maurice qui rencontre un copain dans un état ! Il a un œil poché, une oreille arrachée et la gueule complètement fracassée. Alors Maurice lui demande :

– Qu'est-ce qui t'est arrivé ?

– Purée, il m'est arrivé un de ces trucs ! Je partais au boulot, j'étais déjà sur le palier et je m'aperçois que j'avais un bouton de ma braguette qui était décousu. Juste à ce moment-là la porte de ma voisine s'ouvre et la petite Ginette me dit : « Oh ! la la ! vous ne pouvez pas aller au boulot comme ça, aoww ! » Il faut dire qu'elle a l'œil pour ce genre de choses : dans la rue, elle marche à genoux pour être sûre de rien louper...

– Et alors ?

– Et alors elle m'a dit : « Rentrez cinq minutes, je vais vous le recoudre ! » La misère de moi-même ! Je suis allé chez elle, elle m'a recousu le bouton à ma braguette... et son mari est arrivé au moment où elle coupait le fil avec ses dents !

☆

Madame Grinderch, figurez-vous qu'elle a perdu la boule ! Le stress, la vie moderne et tout ce qu'elle a lu dans les journaux, ça l'a fait basculer. Surtout depuis que rien ne va plus entre Lady Di et le prince Charles : elle est devenue entièrement folle. Pendant un moment, elle s'est même prise pour Cléopâtre. Alors on l'a envoyée dans un hôpital psychiatrique, on l'a soignée, et un beau jour le docteur lui a dit :

– Bon, madame Grinder, j'ai de bonnes nouvelles pour vous.

– Ouichch ?

– Vous êtes guérie.

– Oh, c'est merveilleuxchch !

– Voilà, je vous ai débarrassée de votre com-
plexe, vous n'êtes plus Cléopâtre.

– Oh merci, docteur ! C'est Jules César qui va
être contentch !

☆

Un jour, Ginette rentre complètement affolée
à la maison et dit à Jean-Loup :

– Tu sais ce qui m'est arrivé cet après-midi,
aoww ?

– Ben non, je ne sais pas !

– Oh ! la la ! aow, j'ai été faire les courses au
supermarché Casino pour acheter des surgelés,
aowww. Il y a des promotions sur le colin, en ce
moment... Il y avait un mec qui me regardait,
aoww. Alors j'ai été régler à la caisse, aow, et il
m'a suivie dans la rue, aow !

– Et il ne t'a rien dit ?

– Non, rien du tout, aow ! Il m'a suivie
jusqu'en bas de l'immeuble, il est monté avec
moi dans l'ascenseur et puis il m'a attrapée, il

m'a relevé la jupe et crac... Et quand on est arrivés à l'étage il est reparti sans rien dire, aow !

– Ça alors ! On ne saura jamais ce qu'il voulait !

☆

C'est une dame très chic qui sort d'un merveilleux restaurant. Elle porte un manteau d'hermine avec une rose noire épinglée au revers, mais quelque chose de très très classe ! Tout à coup, en montant dans le taxi, voilà que la rose se décroche, tombe et s'écrase sur un... sur une... ce que Chirac appellerait une déjection. Alors la rose dit :

– Tout de même ! Il y a de ces hauts et de ces bas, dans la vie ! Il n'y a pas cinq minutes, j'étais épinglée à un somptueux manteau de fourrure qui sentait bon le parfum pour riches. J'étais une belle rose, tout le monde me regardait, et voyez où je suis tombée...

Et là, la crotte lui répond :

– Ah ça, la vie est pas marrante, à qui le dites-vous ! Quand je pense que moi, pas plus tard qu'hier, j'étais un beau baba au rhum !

☆

À la belle saison, Eugène Poulossière et la Fernande arrondissent leurs fins de mois en louant une chambre aux vacanciers. Vous savez ce que c'est, avec la crise de l'agriculture... C'est comme ça qu'un été, Jean-Loup et Ginette ont choisi de loger à la ferme. Le lendemain de leur arrivée, au petit déjeuner, l'Eugène vient leur dire :

– Ben dites donc, les jeunes, vous alors ! Je ne sais pas ce que vous faites la nuit, mais quel raffut, mon vieux !

Et Jean-Loup lui répond :

– Ah ouais, avec Ginette, on a fait le toboggan !

– C'est quoi ça, le toboggan ?

– Eh ben, le toboggan... Pour tout vous dire, c'est comme qui dirait un genre de position... Bon, alors la femme est sur le lit. Vous inclinez l'armoire à 45°, vous vous mettez en haut et vous vous laissez glisser en visant bien. C'est sportif et branché, ça fait vachement jeux Olympiques d'Albertville, si vous voulez...

– Oh ben ça, je vais essayer avec la Fernande, tiens, oh je vais essayer !

Le surlendemain, au petit déjeuner, le père Poulossière arrive à table plié en deux :

– Aïe aïe aïe... Crrrées conneries de foutus Parisiens...

– Bah, qu'est-ce qui vous est arrivé, père Poulossière ?

– Ben j'ai voulu faire le toboggan, mais ma femme avait oublié d'enlever la clé de l'armoire !

☆

La Sucette-en-Croix, vous connaissez ? C'est un village du Var, juste à côté de la Croix-en-Fourche ! Là, il y a deux vieux qui se retrouvent sur un banc et il y en a un qui dit à l'autre :

– Ooooh Benoît ! Ooooooh putaing ! Comment ça va, la sannnnté ?

– Ça va. Mais le mois dernier, j'ai été me faire soigner. Parce que figure-toi, avec l'âge, j'avais tout qui pendouillait. Alors j'ai été voir le docteur, et il m'a donné un traitement pour remonter tout ça...

– Et ça a marché ?

– Té, ça va beaucoup mieux ! Avant je pissais dans mes bottes, maintenant je m'arrose les genoux.

☆

Ça se passe dans un bar à Marseille. Un mec entre complètement bourré et se met à gueuler :

– Oh, peuchère ! Z'auriez pas un peu de pastissssse, fatché de congs ?

Le patron il fait :

– Ça va comme ça, Monsieur, ça va ! Vous avez vu votre état ? Vous êtes déjà complètement saoul ! Alors retournez chez vous, ça vaudra mieux !

– Ah ça, bonne mère, je ne suis pas saoul ! La preuve, vous voyez le chieng qui rentre ? Eh ben il n'a qu'un œil !

Et le patron de lui répondre :

– Je vous signale qu'il ne rentre pas : il sort !

☆

Ginette, c'est une fille vachement bizarre. C'est le genre superspeed et un peu maso sur le plan sexuel, si voyez ce que je veux dire. Un jour, elle est vacances à la campagne, et la voilà qui tombe sur le neveu d'Eugène Poulossière. Lui ce n'est pas vraiment un rapide, mais comme elle n'a rien d'autre à se mettre sous la dent... Alors elle l'emmène au bal, lui fait boire un coup et lui demande :

– Et maintenant, si tu m'emmenais chez toi ?

– Si vous voulez, mais chez moi, vous savez...

Aussitôt arrivée dans la chambre, Ginette se déshabille, s'allonge sur le lit et lui dit :

– Allez viens, et fais-moi mal !

– Avec quoi ?

– Mais qu'il est con ! Viens et fais-moi mal, j'te dis !

– Vous faire mal ? Mais avec quoi ? Vous voulez un coup de fourche ?

– Mais non, abruti, avec le truc qui te sert à faire pipi !

– Ah, d'accord, je vois. Si vous y t'nez...

Alors le gars se penche un instant, se relève et lui flanque un grand coup sur la gueule avec son pot de chambre.

☆

Figurez-vous que c'est Guytou le cameraman de « la Chance aux chansons » ! Un jour, ils sont en train de préparer une émission spéciale pour le bicentenaire de Gloria Lasso quand un projecteur tombe sur le pied de Guytou... On l'emmène à l'hôpital, ça s'infecte, bref la jambe est foutue. Il va falloir en greffer une autre et c'est un grand spécialiste, le docteur Jacquot, qui va s'occuper de l'opération. Mais comme il rentre tout juste de vacances, il est un peu speed :

– Écouteeez ! Qu'est-ce que c'est ? De quoi s'agit-il ?

– C'est pour greffer une jambe à mon Guytou ! lui explique Ginette.

– Oui ! bon, allons-y ! Passez-moi la jambe !

Tout se passe très bien. Le lendemain, le docteur Jacquot vient visiter Guytou dans sa chambre et vérifier qu'il n'y a pas de complication :

– Bon, pas de fièvre, pas de rejet ! Très bien ! Oh zut, crotte de caniche ! Bordel à roulettes ! J'ai fait une erreur, je lui ai greffé une jambe de femme ! Oh, c'est pas bien grave, après tout !

Quinze jours plus tard, Guytou vient faire une visite de routine et le docteur Jacquot lui demande :

– Alors, cette greffe de la jambe a bien pris ?

– Pas de problème de ce côté-là !

– Vous marchez normalement ?

– Oui, oui...

– Alors tout va bien ?

– Tout va bien, docteur, sauf quand je vais faire pipi : c'est pas pratique du tout.

– Ah bon ? Et pourquoi ça ?

– Parce que j'ai une jambe qui reste raide et l'autre qui s'accroupit...

☆

Depuis que leur fille s'est mariée avec monsieur Chabert, qui est portier au Futuroscope, l'Eugène et la Fernande Poulossière commencent à se sentir un peu seuls. Heureusement, de temps en temps, ils gardent leur petit-fils, le petit Kiki. Un matin qu'il va se promener avec sa mamie dans les champs, ils se font surprendre par la pluie :

– Oh, mon pauvre Kiki, v'là qu'tu vas être tout trrrempé ! s'inquiète la Fernande. Et moi qu'ai pas pris de parapluie ! Vingt diou de cré bon diou ! Ça fait rien, viens donc te mettre à l'abri sous les jupes de Mamie et rrrentrons vite !

Alors le petit Kiki se glisse sous les jupes de la Fernande et lui dit :

– Eh dis donc, Mamie, qu'est-ce que c'est que ça, le truc avec des poils ?

– Ça ? Euh... c'est une balayette...

– Ben dis donc, c'est bizarre, y a pas d'manche !

– T'inquiète, Papy en mettrrra un ce soir !

☆

Ginette, elle est vachement complexée. C'est qu'elle n'a pas de poitrine, ou trois fois rien ! Au point que dans ses soutiens-gorge, pour frimer un peu, elle est obligée de mettre deux oranges. Un jour, n'y tenant plus, elle décide d'aller voir un spécialiste. C'est Hervé-Paul Jacquot, le cousin du docteur Jacquot qui, paraît-il, a un traitement radical :

– Écouteeez ! Je vois le problème. Voilà ce que je vous propose : je vais vous brancher une puce électronique sur l'orteil.

– Qu'est-ce que c'est que cette connerie, aow ?

– Ce n'est pas une connerie, c'est une puce électro-acoustique que je vais vous plaquer sur le nerf longitudinal de l'orteil et qui relie directement, grâce à des vibrations sonores, les deux glandes noëlmammaires ! Ce qui fait que lorsque quelqu'un s'excusera de vous marcher sur les pieds, la puce électronique provoquera une vibration qui viendra titiller les glandes noëlmammaires et ça vous fera pousser les seins d'à peu près deux-trois centimètres.

– Génial, aowww ! Et qu'est-ce qu'il faut que je fasse ?

– Je vous conseille d'aller dans des endroits très fréquentés où l'on risque de vous marcher souvent sur les pieds. Je ne sais pas, moi : allez faire votre marché vous-même, prenez le métro et passez vos soirées en boîte de nuit... Mais attention : il faut que les gens s'excusent de vous marcher sur les pieds pour que ça fonctionne, donc inutile de faire les soldes du BHV ou d'assister à des matchs de foot...

Sans attendre un jour de plus, Ginette se fait poser la petite puce électronique et prend le métro. Dès le premier virage, une vieille dame lui écrase les orteils et lui dit :

– Oh pardon, mademoiselle...

Aussitôt la puce se met en marche : « tududu – tududu...slaaach », et hop, un bon centimètre de plus ! Peu après, alors qu'elle descend à la station Place-d'Italie, c'est au tour d'un jeune homme de lui marcher sur les pieds :

– Excusez-moi, je ne le l'ai pas fait exprès, je suis vraiment confus !

« Tududu, tududu… », les excuses ayant été particulièrement polies, la poitrine de Ginette augmente de trois bons centimètres…

Dix minutes plus tard, Ginette fait son marché dans le treizième arrondissement, et tout à coup un Chinois prend ses escarpins pour des boulevards. Vous connaissez les Chinois, ce sont des gens très polis qui s'excusent tout le temps, et celui-là n'est pas différent des autres :

– Oh, j'ai marché sur vos ravissants petons aussi délicats qu'une fleur de jasmin au printemps… Que le pauvre vermisseau que je suis rentre sous terre jusqu'à la prochaine mousson s'il vous a fait le moindre mal, alors que c'eût été un honneur pour lui d'être réduit en bouillie sous votre adorable talon ! Pardon, cent mille fois pardon ! Excusez ma misérable personne, je suis tellement confus !

Et le lendemain, on peut lire dans le journal : « La poitrine d'une jeune femme explose au beau milieu d'un marché du treizième arrondissement. »

☆

C'est un jeune Anglais qui veut prendre des cours de français. Il a une petite chambre dans le Sentier et Maurice lui dit :

– Tu vas pas payer un professeur, tu es fou, toi ! Moi je te l'apprends, le français, c'est facile ! Tiens, je vais t'apprendre les doigts de la main.

– Oh yes !

– Vas-y, prends des notes, mon fils ! Le premier doigt, ça s'appelle le pouce.

– La puce ?

– Non, pas la puce, il est con celui-là ou quoi ? Le pouce ! Le deuxième doigt, c'est l'index !

– Aooh, l'index ?

– Oui, l'index, et le troisième c'est whiskas !

– Oh, pourquoi ?

– C'est pour les chattes difficiles !

☆

Le Poulossière, ce qu'il est menteur ! Un jour, par exemple, il dit à Fernande qu'il est à la chasse. Et c'est pas vrai : en fait, il va retrouver la petite postière de Sainte-Julie-du-Poitou qui est une jeune fille vraiment comme ça, aow. Mais bien sûr, quand vient le moment de rentrer, Eugène est bien embêté que sa gibecière soit vide. Alors il va vite à la boucherie-charcuterie de Sainte-Julie-du-Poitou et achète deux faisans. Le problème, c'est qu'ils sont déjà plumés, mais tant pis. Et sans se démonter, il annonce fièrement en rentrant chez lui :

– Belle chasse, tantôt, je suis ben fourrrbu !

Et la Fernande lui demande :

– Ah oui, fais voir ce que tu as tué !

– Deux faisans !

– Tu ne te foutrais pas de moi ! T'as vu tes faisans, ils sont plumés !

– Ah ça, c'est norrrmal ! Figurrre-toi que quand je les ai surrrpris, ils étaient en trrrain de faire crrrac-crac. Et moi j'ai tiré avant qu'ils aient le temps de se rhabiller !

☆

C'est un monsieur très bien, très chic, qui a plutôt bien réussi dans la vie. Mais il est désespéré, parce qu'il a un fils d'une trentaine d'années qui est resté un vrai benêt. Il est tellement niais sur le plan sexuel que je ne vous en parle même pas : il n'y connaît rien, il n'a même jamais vu une femme déshabillée. Alors un jour, ce monsieur très chic se dit :

– Je ne peux vraiment pas laisser mon fils dans cet état-là ! Bon, je prends la Bentley et je l'emmène au claque. Allez viens, mon fils !

– Hum, où c'est qu'on va, papa ?

– Écoute, suis-moi et ne pose pas de questions !

Cinq minutes après ils arrivent rue Saint-Denis, et le monsieur très chic aborde une péripa... une péripé... bref, une prostituée :

– Bonjour, mademoiselle Ginette ! Vous me reconnaissez ?

– Aow ouais, c'est pourquoi, aoww ?

– Je vous ai amené mon fils parce qu'il a trente ans et qu'il serait temps de faire son initiation. Vous ne pourriez pas vous en charger ? Mais alors soyez gentille avec lui, parce que vous allez voir, il ne sait vraiment pas comment ça se passe...

– On a l'habitude, aow ! Allez suis-moi, toi !

Le fils monte avec elle dans la chambre et elle lui fait :

– Bon, tu as déjà vu une femme de près ? Déshabillée, tout ça ?

– Hum ! Oh oui, à la télé ! Chez Dorothée !

– Bon alors écoute, on va commencer par le tout début : je me déshabille, tu te déshabilles, et on s'allonge sur le lit.

– D'accord !

Le temps de plier ses vêtements, le garçon vient se coucher à côté de Ginette qui lui demande :

– Alors bon, qu'est-ce que tu en penses, aow ?

– Ben, hum, il fait froid ! On ne pourrait pas se rhabiller ?

– Non aow, on va rester comme ça ! Comment tu me trouves, aoww ? Quel effet ça te fait, une femme à poil, tu trouves ça bien ?

– Hum, bah je sais pas...

– Bon, on va commencer par la bouche... C'est bien, la bouche, parce qu'on peut faire des tas de trucs avec, aow. On peut s'embrasser... Et puis tout, je t'expliquerai. Bon alors maintenant, tu vois, ça c'est mes seins, aoww !

– Hum...

– C'est bien, les seins d'une femme, parce que tu vois, je veux dire aow, c'est chaud, c'est doux. Et on peut faire des tas de choses avec, aoww.

– Hum, oui madame !

– Et alors ça, c'est mon nombril...

– Hum, moi aussi j'en ai un !

– Oui, tu en as un aussi. On a tous des nombrils. On peut pas faire grand-chose avec, mais enfin c'est mon nombril aow. Alors là, c'est le principal, c'est l'essentiel... Là, on peut tout faire, tout ! Alors vas-y, tu peux toucher !

– Je peux ?

– Oui, vas-y ! Tu peux y mettre un doigt, par exemple !

– Hum !

– Bon alors, ça va ? Tu vois, ça ne fait pas mal ! Maintenant, tu peux mettre deux doigts...

– Ah pourquoi, ça siffle ?

☆

C'est Eugène Poulossière. Un soir, il rentre à la maison complètement bourré, il se glisse dans le lit à côté de la Fernande et puis comme ça, à trois heures du matin, il lui vient une petite envie de repeupler la France. Alors il commence à embrasser la Fernande. Il l'embrasse sur le front. Il l'embrasse sur la bouche. Il l'embrasse sur les seins et puis là, on sait pas pourquoi, il va directement l'embrasser sur les pieds. À ce moment-là, la Fernande lui fait :

– Ivrrogne, va ! Si ça avait été un bistrro, là, tu t'serais arrêté et tu aurrrais pris ton temps !

☆

C'est François Mitterrand qui va aux jeux Olympiques d'Albertville avec son gilet pare-balles. Il arrive pour prononcer le discours d'ouverture, et alors là il se passe quelque chose de bizarre. Au lieu de dire « je déclare ouvertes les seizièmes olympiades d'hiver », on l'entend répéter :

– Ooooh... Ooooh... Ooooh... Ooooh...

Juste à ce moment-là, il y a Jack Lang qui le tire par la veste et qui lui murmure à l'oreille :

– Non, non, arrêtez monsieur le président, vous êtes en train de lire les anneaux olympiques !

☆

Les hommes politiques, on oublie toujours qu'avant d'être des hommes ils ont été des enfants, et même des nourrissons. Imaginez le petit Chirac pleurant la nuit à trois mois :

– Écouteeez ! Ouin ! Ouin !

Il paraît que le petit Barre, lui, était un enfant facile : il dormait tout le temps. D'ailleurs, ça n'a pas changé... Quant au petit Georges Marchais, il avait déjà des problèmes de vocabulaire. Par exemple, un jour qu'il avait cinq-six ans, il demandait à son papa :

– Dis donc, papa, est-ce que tu pourrais me dire ce que c'est-y donc que l'avenir ?

Et son père de lui expliquer :

– L'avenir, l'avenir ! Si tu veux, l'avenir, c'est ton petit frère. Ton petit frère a trois mois, donc il est plus jeune que nous tous, donc l'avenir c'est lui.

– Et le gouvernement, alors ?

– Le gouvernement, ce serait comme qui dirait un petit peu ta mère ! C'est elle qui a l'argent du ménage, c'est elle qui gère le budget, qui va faire les courses, qui règle la dépense.

– Et camarade, ça veut dire quoi ?

– Camarade, tu peux le dire à tout le monde. J'ai beau être ton père, tu peux m'appeler camarade, tu vois ! C'est une espèce de mot...

Le soir venu, en allant faire dodo, Georges s'aperçoit que son petit frère s'est oublié dans ses couches Pampers. Alors le petit Marchais fonce dans la chambre de ses parents et dit à son père :

– Dis donc, l'avenir est dans la merde : réveille le gouvernement, camarade !

☆

C'est Maurice qui dit à un ami :

– La purée de moi-même : je ne sais pas quoi acheter comme cadeau à ma fiancée ! Qu'est-ce que je pourrais lui offrir ! Un truc, je ne sais pas, où je pourrais récupérer le pognon ?

Et son ami lui répond :

– Achète-lui du rouge à lèvres, tu récupéreras toujours un peu !

☆

Ça se passe à Moscou. C'est madame Grinde-rosky qui entre dans un magasin et qui demande :

– Bonjourskala, monsieur le boucherkichch, je voudrais un bifteck !

Et le marchand lui fait :

– Désolé, ici, c'est le magasin où il n'y a pas de pain : le magasin où il n'y a pas de viande, c'est en face !

☆

Ça se passe dans un piano-bar assez chic. Le barman est sûrement un peu... bref, il a des manières... il faut le voir agiter son petit shaker, rajuster son petit nœud... Un soir, il y a plein de clients, et tout à coup il y a une espèce d'énorme truand qui arrive et qui tape du poing sur le comptoir en criant :

– Un whisky, vite, vite, vite, vite !

– Oui oui, tout de suite, voilà, ça vient, oh ! la la !

Mais le truand s'énerve, sort son revolver et tue un premier client, en abat un deuxième et dit au barman :

– Tu vas voir, moi aussi je suis homosexuel, et je vais te faire ta fête !

Alors le barman lui dit :

– Oui, m'enfin quand même ! D'abord je vois pas le rapport, et ensuite ce n'était pas la peine de tuer deux personnes pour ça !

Et le truand lui répond :

– Si, si ! Maintenant tu as un trou de balle plus serré !

☆

Au Paradis, ça dépend des jours et des arrivages : des fois, il y a une longue file d'attente. Un jour, saint Pierre arrive et dit :

– Bon, pour accélérer les formalités d'inscription, je vais vous poser quelques questions ! Et pour commencer, vous allez me dire la profession que vous exerciez sur terre de votre vivant. Monsieur, là, vous faisiez quoi, par exemple ?

– Moi ? J'étais boulanger !

– C'est très bien, boulanger. Je note. Et vous ?

– Moi, j'étais peintre en bâtiment.

– Et vous, vous faisiez quoi ?

– Moi j'étais représentant, représentant en tricots de corps. Ceux qui collent si bien à la poitrine que tu ne peux plus les arracher. Une fois que tu les as, tu meurs avec ! La preuve, regardez, j'ai toujours le mien...

– Ça va, monsieur, je vous en prie, pas la peine de vous déshabiller... Et vous, qu'est-ce que vous faisiez ?

– Ben voilà... euh...

– Bon, écoutez, décidez-vous : on va pas y passer la journée ! Alors vous faisiez quoi, sur terre ?

– Ben j'étais pédé !

– C'est un métier, ça ?

– Ben oui, j'étais pédé.

– Ah bon, et vous ne faisiez rien d'autre dans la vie ? Non ? Bon, attendez une seconde, je vais me renseigner...

Saint Pierre entre dans le Paradis et demande à la foule :

– Excusez-moi d'interrompre la récré ! Pédé, ça correspond à quoi ? Qu'est-ce que c'est ?

Et là, il y a Vercingétorix qui s'avance et qui répond :

– Faites gaffe ! Faites gaffe, c'est encore un truc pour emmerder la gaule !

☆

Ça se passe sous l'Occupation, sur une plage au bord de la mer. Là, il y a un jeune couple qui fait l'amour sur le sable fin parce qu'il n'a pas assez d'argent pour aller à l'hôtel. À un moment, une patrouille allemande passe le long de la plage et le mec dit :

– Les Chleus !

La fille fait la grimace et lui répond :

– Je peux pas, mon chéri, il est plein de sable...

Ginette, elle a été nommée institutrice en Seine-Saint-Denis. Un matin elle arrive en classe, elle pose son casque et son P-38 sur la table, elle enlève son gilet pare-balles et commence son cours de grammaire. Et juste à ce moment-là, il y a l'inspecteur d'académie qui arrive et qui dit :

– Bonjour mademoiselle, ne vous dérangez pas ! Faites votre cours comme si je n'étais pas là. Qu'est-ce que vous étudiez, ce matin ?

– Ben voilà, c'est un cours de grammaire, aow ! Je vais leur expliquer, si vous voulez, la différence qu'il y a entre le singulier et le pluriel, aoww !

– Oui, effectivement, c'est très important. Alors voyons voir comment vous vous y prenez...

– Vous savez, je vous préviens aow, je n'ai que des cancres... Bon alors voilà, les enfants, le singulier et le pluriel c'est très facile. Le singulier c'est quand on est un, et le pluriel c'est quand on est plusieurs. Vous voyez, ce n'est pas dur. Bon, alors on va voir si vous avez compris. Dis-moi, Guigui : quand on dit « une femme regarde par la fenêtre », on parle comment, au singulier ou au pluriel ?

– Ben si une femme regarde par la fenêtre, on parle au singulier !

– Voilà, c'est très bien, mon p'tit Guigui. Et toi, Jeanjean, quand je dis « huit femmes regardent par la fenêtre », qu'est-ce que c'est ?

– Ben, c'est un bordel !

☆

Maurice, ça fait bien cinquante ans qu'il est marié. Il a tout fêté, les noces de semoule, d'or, de diamant, de platine, et un jour sa femme lui dit :

– Écoute Maurice, je ne sais pas ce qu'il y a ce soir, mais maintenant j'ai envie qu'on se dise la vérité. J'ai envie de tout te dire. Je ne veux plus te mentir, et il y a une chose qu'il faut que tu saches.

– Ba ba ba, qu'est-ce qu'il y a ? Qu'est-ce tu m'fais ?

– Voilà, c'est à propos de not'fils... Il faut que je te dise la vérité, je ne peux pas te mentir plus longtemps.

– Quoi, not'fils ?

– Eh ben not'fils, ce n'est pas ton fils !

– C'est pas mon fils ? Qu'est-ce que tu me racontes là ? T'y es folle, ou quoi ?

– Non non, je ne suis pas folle. Rappelle-toi quand on avait notre magasin rue Gay-Lussac. Tu te souviens ?

– Oui, je me souviens très bien !

– On avait un commis. Tu te souviens du commis qu'on avait ?

– Oui, je me souviens du commis qu'on avait !

– Il était blond, grand, costaud quoi ! Et alors voilà, je couchais avec lui, et not'fils, c'est le fils du commis.

– La misère ! C'est pas vrai ! Mais pourquoi il couchait avec toi, celui-là ? Lui qu'était beau comme tout, costaud, un vrai play-boy, pourquoi il couchait avec toi, que t'es si vilaine ? Parce que si je t'ai épousée, c'est pour ton argent, tu le sais bien ! Alors dis-moi pourquoi il couchait avec toi, celui-là ?

– Ben je lui donnais des sous...

– Quoi ?

– Oui, je lui donnais des sous !

– Et tu les prenais où, les sous ?

– Ben je les prenais dans la caisse...

– Putain, tu prenais des sous dans la caisse et tu dis que le fils il est pas à moi ? Arrête !

☆

C'est Maurice qui va à l'hôpital pour se faire faire un bilan de santé. L'infirmière arrive pour la radio et lui fait :

– Enlevez votre chemise, s'il vous plaît, et la médaille entre les dents, aoww !

L'infirmière, elle est drôlement belle, et Maurice se dit : « Putain, ba ba ba, qu'est-ce qu'elle est bien foutue, celle-là ! »

Au bout d'un moment, pour passer le temps, l'infirmière lui demande :

– Qu'est-ce que vous faites, comme métier ?

Et le Maurice lui répond :

– Ben je suis dans les affaires...

– Et ça marche ?

Alors là, le Maurice qui est en slip lui fait :

– Ben justement, il se trouve que j'ai une petite affaire qui monte : vous ne voulez pas la prendre en main, non ?

☆

C'est une femme belge qui est hospitalisée à la suite d'une fracture du bassin, et le médecin lui demande :

– Comment cela vous est arrivé ?

– Oh, c'est pour garder la ligne !

– Je ne vois pas très bien le rapport...

– Ben on m'avait dit de prendre des bains de lait, et à un moment, la vache a glissé sur la savonnette !

☆

C'est un monsieur très chic, très distingué, qui voyage pour affaires. Il a réservé une couchette dans le Paris-Nice, il arrive et il pose sa mallette, puis il s'allonge. Manque de bol, il fait un faux mouvement et sa perruque tombe sur la couchette d'en dessous. Et sur la couchette d'en dessous, il y a Ginette qui dort. Le monsieur est très embêté. Il passe la main pour récupérer sa perruque, il tâte, il fouille, et tout à coup Ginette fait dans son sommeil :

– Ooooh! Ooooh! Oui, oui aowww! C'est bon, vous l'avez!

Et le monsieur très distingué lui répond :

– Oh non, non, la mienne n'a pas la raie au milieu!

☆

C'est un pov' Marseillais qui a fait naufrage. Ça fait sept ans, sept ans qu'il est tout seul sur son petit bout d'île. Il se débrouille comme il peut en mangeant des racines et des noix de coco, mais sept ans c'est quand même long...

Un jour, tout d'un coup, qu'est-ce qu'il aperçoit à l'horizon? Un superbe bâtiment de la Royale. Alors là, il arrache ses lambeaux de chemise, les attache au bout d'un bâton et les brandit en hurlant :

– Ohé! Ohé! Je suis là! Je suis là!

Sur le bateau, une vigie l'aperçoit et on met aussitôt une chaloupe à la mer avec douze marins pour aller le chercher. Ils ramènent le Marseillais à bord, l'amiral le salue et lui dit :

– Mon brave, votre calvaire est terminé. Depuis combien de temps êtes-vous sur cette île ?

– Oh fan de chichoune, vous ne pouvez pas savoir le plaisir que ça fait : il y a sept ans que je suis là ! Sept ans que je n'ai pas vu figure humaine !

– Mais dites-moi, mon ami, ça fait donc sept ans que vous n'avez pris le moindre apéritif ?

– Peuchère, ça fait sept ans que je bois de l'eau et du lait de coco...

À ce moment-là l'amiral ouvre un petit coffret et lui tend une bouteille de pastis.

– Oh putaing, vous avez pensé au pastissse !

Et aussitôt, le Marseillais se sert un pastaga des familles. L'amiral trinque et lui demande :

– Dites-moi, depuis sept ans, vous n'avez pas fait... ne serait-ce qu'un vrai repas ?

– Ah ça ne m'en parlez pas : bonne mère, je n'avais rien d'autre à manger que des racines et des noix de coco...

– Quartier-maître, allez donc me chercher la marmite !

Un instant après, le quartier-maître rapporte une marmite, la pose sur la table, soulève le couvercle... et le Marseillais s'écrie :

– Oh, fatche de congs, vous avez pensé à la bouillabaisse !

Le naufragé s'enfile la marmite, et toujours aussi prévenant, l'amiral lui fait :

– Mais alors dites-moi, j'y pense : ça fait sept ans que vous n'avez pas tiré un coup ?

– Dites-moi que je rêve : vous avez même pensé aux boules ?

☆

C'est l'histoire d'une comédienne qui a complètement raté sa carrière : elle fait le trottoir. Devant, par nostalgie, elle s'est fait tatouer « entrée du public », et derrière « entrée des artistes ».

☆

Gaétan du Fermoir de Monsac, c'est vraiment un aristocrate qui vit avec son temps : quand il a besoin d'engager un domestique, il téléphone tout simplement à l'Agence nationale pour l'emploi et on lui recommande un monsieur très bien. La preuve, il s'appelle Gaston, et il a servi chez la baronne de Médeux pendant plusieurs années. Mais histoire de vérifier ses références, Gaétan du Fermoir de Monsac téléphone à la baronne de Médeux :

– Je vous téléphone à propos d'un certain Gaston qui aurait été à votre service pendant des années...

– Oh oui, il est très biench ! Il est parfaitch ! Il a juste trois défautsch.

– Ah bon, et lesquels ?

– Il a toujours les ongles sales, figurez-vous, ce qui vous l'avouerez est tout de même un peu gênant. Surtout quand on reçoit. Ensuite, il boit, il boit énormément, et même pendant le service ! Il boit comme un trouchchch ! Enfin, je dois vous prévenir, ce n'est pas tout : il est... comment dirais-je... il est un petit peu pédé, voyez-vous ! Mais pour le reste, je vous assure, il est vraiment très bienchch !

Alors Gaétan du Fermoir de Monsac se laisse convaincre et téléphone à Gaston pour le convoquer :

– Écouteeeez, Gaston ! Voilà, sur la recommandation de la baronne de Médeux, je vous engage. Seulement voilà, trois petites observations : tous les matins je procéderai à l'inspection de vos ongles : vous me les montrerez pour que je puisse vérifier leur hygiène. S'ils ne sont pas propres, gare à vous !

– C'est entendu, Monsieur... Et après ?

– Deuxième observation, si vous voulez boire un petit coup, vous me demanderez : c'est moi qui garde les clés de la cave. Si vous avez soif vous me l'dites, je vous ouvrirai, je vous servirai et puis je refermerai.

– Très bien, Monsieur. Et vous aviez une troisième observation ?

– ... Non, finalement Gaston, pas de troisième observation... Ce sera tout, mon amour !

Pourquoi les voitures des policiers belges portent-elles une baignoire sur le toit ?

C'est pour mettre la sirène !

☆

C'est l'histoire d'un monsieur qui a fait fortune dans la charcuterie. Une affaire de famille, puisque tout a démarré sous le Premier Empire. Ce monsieur s'appelle Justou Bridin, et son arrière-grand-père a commencé avec trois fois rien : colporteur, il faisait la tournée des villages en ramassant tout ce qui traînait dans les poubelles, il mettait ça dans son sac en plastique et c'est avec ça qu'il fit ses premiers saucissons. Mais la spécialité de monsieur Justou Bridin, c'est le saucisson d'âne. Il a réussi en se spécialisant dans le saucisson d'âne sous cellophane. Or, voilà que Monsieur Justou Bridin veut prendre sa retraite, et un jour il dit à son fils qui a seize ans :

– Écoute, mon petit, je vais bientôt me retirer. Ta mère a l'habitude, c'est d'ailleurs pour ça qu'on n'a fait qu'un enfant... Bref, après ton arrière-grand-père, ton grand-père et moi-même, j'aimerais que tu prennes la direction des usines Justou Bridin, saucisson d'âne sous cellophane. Certes, tu as seize ans et tu n'as pas terminé tes études, puisque tu viens de tripler ta cinquième. Mais je voudrais quand même que tu visites l'usine pour t'initier à l'histoire de notre famille.

– Comme tu voudras, papa !

Alors monsieur Justou Bridin fait visiter l'usine à son fils et lui explique :

– Tu vois, là, c'est une machine qui a été inventée par ton arrière-grand-père. L'âne arrive sur le tapis et il passe dans l'étrilleur, et après dans le système multibrosses. Il ressort en pâté, en terrine. Et ton grand-père a encore perfectionné le système : ce que tu vois de ce côté-là, c'est une espèce de caddie dans lequel on met l'âne. On le tasse un peu si ça ne rentre pas bien, le caddie descend le long d'une sorte de toboggan, et ensuite il passe dans une espèce de pressoir à molette. Alors l'âne arrive, le pressoir à molette compresse l'âne et il ressort sur toute la longueur. Au bout, là-bas, il y a une enquilleuse automatique qui le met dans des sacs en plastique. Cette machine-là, c'est moi qui l'ai inventée. Elle a augmenté le rendement : l'âne arrive, il passe sur un genre de tapis roulant, schlak il y a le hachoir qui tombe, et pof, en même temps, la capuche se met par-dessus et il en ressort un saucisson. Voilà, mon fils, je compte sur toi pour nous succéder dignement et améliorer le système.

– Dis-moi papa, y a pas de machine où par exemple, le saucisson, il rentre par-derrière et il sort un âne par-devant ?

– Si, il y a ta mère.

☆

Ça se passe à l'ambassade d'Angleterre. La reine d'Angleterre est en visite officielle et danse un slow d'enfer avec François Mitterrand qui lui dit :

– Oh, majesté, quelle pétulance !

– Qui vous a permis de me tutoyer ?

☆

C'est une jeune et jolie Anglaise qui vient à Paris pour la première fois et qui prend le métro. Maurice l'aperçoit, se colle tout près d'elle et lui met la main aux fesses. Ulcérée, l'Anglaise se retourne et lui fait :

– Malotrou !

– Ah ! pardon, je pouvais pas savoir !

☆

Depuis la guerre du Rif, madame Grinderch n'a plus de vie de femme. Et elle se sent si seule qu'elle veut acheter un perroquet pour tromper sa solitude. Alors elle va quai de la Mégisserie et dit à un marchand d'oiseaux :

– Je voudrais un animal qui me tienne compagniech !

– Qui vous tienne quoi ?

– Compagniech !

– Je vois ce qu'il vous faut, j'ai justement un perroquet qui est pas mal. C'est un ara d'Amérique du Sud. Regardez comme il est mignon...

– Oh qu'il est jolich ! Oh, ce plumage chamarréch ! Mais pourquoi a-t-il une ficelle à chaque patte ?

– Eh bien, si vous tirez sur la ficelle de gauche, il parle anglais.

Effectivement, le marchand tire la ficelle et le perroquet fait :

– How are you ?

– Et à quoi sert la ficelle de droitech ? demande madame Grinderch.

– Si vous tirez sur la ficelle de droite, il parle arabe. D'ailleurs regardez...

Le marchand tire la ficelle et le perroquet s'écrie :

– Al azzaraoui ben nawabi !

– Oh, c'est très biench ! Et si je tire sur les deux ficelles ?

Et là le perroquet répond :

– Je me casse la gueule !

☆

C'est un monsieur très chic qui a une position relativement importante dans la vie. Seulement il est embêté, parce qu'il a été avec une jeune fille pas très sérieuse et il a attrapé une maladie vénitienne. Alors il va voir le docteur Jacquot et lui dit :

– Voilà, docteur... Si je viens vous voir, ce n'est pas pour moi mais pour un de mes amis. Depuis quelque temps il fréquente une jeune fille pas sérieuse du tout, et j'ai bien peur qu'il ait attrapé une maladie wagnérienne. Comme il n'ose pas venir vous voir, qu'est-ce qu'il doit faire ?

– Eh bien écouteeez ! Baissez votre pantalon et montrez-moi votre ami !

☆

Une petite roucasserie suisse. Ça se passe à Genève devant l'arrêt du tramway, et il y a un monsieur qui demande à une vieille dame :

– Pardooooon madame, le tram de sept heures, il est passé ?

– Ah, trèèès certainement vous saaavez, ils sont toujours à l'heure !

– Et le tram de deux heures trennnnnte, il est passé également ?

– Ooooh oui ! Très certainemennnnnt ! Celui de neuf heures trente égalemennnnnnt...

– Ah booooon, et le tram de minuit ?

– Aaaah ben, il est passééééé lui aussi !

– Alors ça vaaaa, si le dernier tram est passé, je peux traverseeeer.

☆

Ça se passe sur un chantier. Le contremaître a engagé plusieurs équipes pour planter des poteaux télégraphiques. Il y a une équipe de Français, une équipe de Belges et une équipe de Suisses. Le soir venu, il réunit ses ouvriers et leur demande :

– Alors le boulot, ça a marché, les Suisses ? Qu'est-ce que vous avez fait, aujourd'hui ?

– Aujourd'hui, on a planté cinq poteaux !

– Bien, bien ! Cinq poteaux, c'est pas mal ! Il y a du rendement. Et vous, les Français, vous en avez planté combien !

– Ooooooh, hein ! Ben nous, on a planté dix pieux !

– C'est pas mal, pas mal du tout ! Et vous les Belges, ça a marché, combien vous avez planté de poteaux ?

– Ah aujourd'hui, on a fait une grosse journée, hein ! On en a planté deux !

– Vous vous foutez de ma gueule ? Seulement deux pendant que les Suisses en ont planté cinq et les Français dix ?

– Oui, mais eux, ils salopent le travail. Ils ont laissé dépasser la tête, alors que nous on les a enfoncés jusqu'au bout !

☆

Maurice et Sarah, sa femme, vont au cinéma. Là, au milieu du film, il y a une grande scène d'amour où Belmondo tente de séduire Carole Bouquet. Et c'est vraiment le Belmondo des grands jours :

– Pardon, me voilà ! J'arrive ! Vous m'attendiez ! Mystère, sadisme, tout le charme de l'Orient, poussez-vous !

Alors Bébel prend la main de Carole Bouquet, qui est rose comme un bouquet de crevettes, et il la caresse en disant :

– Vos yeux sont merveilleux, ils ont les reflets bleus des harengs du Mexique lorsqu'ils sont amoureux. On partira, on s'aimera dans des draps turquoise. Il y aura la mer, il y aura vous, il y aura moi, il y aura nous, etc.

Le film se termine sur un baiser langoureux, les gens sortent de la salle et Sarah dit à Maurice d'un air rêveur :

– Quand même, tu as vu dans le film, qu'est-ce qu'il est amoureux de sa femme ! Tous les beaux poèmes qu'il lui dit ! Pourquoi tu as jamais fait ça avec moi ?

Et Maurice lui répond :

– Tu sais combien il est payé, lui ?

☆

C'est une péripa... une péripaté... bref une prostituée qui va voir le docteur Jacquot pour se faire vacciner, et le docteur lui dit :

– Écouteeez ! Le vaccin, vous le préférez où ? Au bras ? Sur la fesse ?

– Au bras, ça se verra moins !

☆

C'est Ginette et sa copine Josy qui reviennent de vacances et se retrouvent au café :

– Ça va, toi ?

– Ouais, ça va aowww, et toi ?

Puis Ginette sort le gros sac avec *Biba* dedans et demande à Josy :

– Alors, t'as passé de bonnes vacances ?

– Ouais, j'étais avec Maurice. Il m'a invitée sur son yacht...

– Et il est bien, son yacht, aow ?

– Il est bien, mais il est vachement petit : j'ai été obligée de ramer tout le temps !

☆

L'été suivant, Ginette et Josy décident de passer leurs vacances ensemble à Port Leucate. C'est super : elles se promènent, s'achètent plein de souvenirs, des tee-shirts avec un coquillage peint et même une moule en plastique qui s'allume dans la poche. Puis elles vont sur la plage pour les nudistes. Là, il y a quarante mecs qui sont allongés au soleil avec un journal sur les yeux, Josy jette un rapide coup d'œil sur leurs petites affaires et dit :

– Oh, t'as vu ? On va se faire chier, y a pas un mec de l'hôtel !

☆

Le petit Guigui, il commence sérieusement à s'intéresser aux choses du sexe, même qu'il vole des revues phonographiques pour les lire en cachette dans son lit. Un jour, en entrant dans sa chambre, Ginette le surprend et lui dit :

– Mais qu'est-ce que tu lis, Guigui ? C'est quoi, ce livre, aow ? Ah oui, je vois... Bon, mon petit Guigui, je crois que le temps est venu de te dévoiler les mystères de la vie, aoww... Moi, je suis pour dire la vérité. Alors je vais tout t'expliquer, tu es en âge de comprendre, aowww.

Et hop, Ginette se met à poil devant son petit garçon.

– Là, tu vois aow, c'est par où que papa entre pour faire les petits Guigui...

– Oh, c'est vachement bien foutu ! Et il y a même un paillasson pour qu'il s'essuie les pieds avant d'entrer !

☆

Ça se passe dans la cour d'un immeuble, sur une corde à linge. Deux petites culottes sont en train de sécher au soleil, il y a celle d'Édith Cresson et celle de Gloria Lasso, et elles en profitent pour tailler une bavette. À un moment, la petite culotte d'Édith Cresson dit à sa copine :

– Ah ben moi, finalement, je n'ai pas à me plaindre : ma patronne reste assise toute la journée, et de temps en temps Jack Lang vient nous chercher et nous emmène voir des films d'art et d'essai.

Et là, il y a la petite culotte de Gloria Lasso qui lui répond :

– Ben t'as du bol parce que moi, ma patronne, elle ne m'emmène jamais.

☆

Au château de Fontanges s'épanouissait comme une fleur de genièvre, la jeune Camille de Fontanges. Ce matin-là, le vol d'une palombe avait éveillé Camille. Elle sourit à la nature puis se rendit aux écuries et demanda à Rodolphe le palefrenier si son cheval était prêt. Rodolphe aimait Camille en secret. Mais Camille, tout à sa rêverie, ne regardait jamais Rodolphe. Le malheureux, le soir, se posait mille et mille questions :

– Qu'est-ce que je pourrais faire pour qu'elle s'intéresse à moi ? Tous les matins elle vient, elle demande si son cheval est prêt et ne me regarde même pas.

Un beau jour, Rodolphe eut une idée :

– Demain, je vais peindre une des pattes du cheval en vert ! Alors Camille me dira « Oh, mon cheval a une patte verte », moi je lui répondrai qu'il doit être un peu malade, on engagera la conversation, on fera connaissance et puis crac-crac...

Le lendemain, comme à son habitude, Camille se rendit aux écuries. La patte arrière droite du cheval était peinte en vert, mais la jeune fille ne le remarqua pas : elle enfourcha la bête et partit au grand galop dans les champs de genièvre.

– Putain, elle a même pas vu ! s'exclama le gentil palefrenier. Puisque c'est comme ça, demain je peins les deux pattes du cheval en vert ! Alors Camille me dira « Qu'est-ce qu'il a, mon cheval ? Ce n'est pas normal », j'engagerai la conversation et puis crac-crac.

Le surlendemain matin, toute à sa rêverie, Camille ressauta sur la bête sans rien remarquer et sans un mot pour Rodolphe.

– Putain, celle-là, je vais l'étrangler ! Aïe aïe aïe, qu'est-ce que je pourrais faire ? Bon, je ne me dégonfle pas, je peins tout le cheval en vert. Cette fois-ci, c'est pas possible qu'elle le voie pas ! Alors elle va arriver, elle va voir le cheval tout vert et elle me dira : « Il y a un problème, c'est pas possible, mon cheval a dû brouter de l'herbe pas fraîche ! » J'engagerai la conversation et puis crac-crac.

Ce matin-là, Camille arriva de bonne heure à l'écurie. Elle plia son ombrelle, regarda son cheval, marqua une courte pause et dit à Rodolphe tout ému :

– Tiens, mon cheval est vert, alors on baise ?

☆

Ginette s'est présentée pour être embauchée comme rédactrice chez *Biba* et ils l'ont virée. Ils ont pris Josy à sa place. Quant à Jean-Loup, son mari, son usine a fermé et il se retrouve lui aussi au chômage. Bref ça ne va pas très fort pour eux, et pourtant, un soir, Ginette dit à Jean-Loup :

– Mon Jojo, aow ! Tu sais ce qui me ferait plaisir, aoww ? C'est qu'on fasse un enfant !

– Non, mais t'es complètement folle ! Ça va pas, la tête ? C'est pas le moment ! Il est hors de question, et je pèse mes mots, qu'on fasse un marmot !

Là-dessus Jojo se couche et Ginette se jette sur lui en lui tripotant les masses monétaires :

– Humm mon Jojo, mon Jojo, aowww !

Mais Jojo il est pas con, il a tout prévu. Tout. Il sort le petit manteau en caoutchouc qu'il faut utiliser dans ces cas-là, l'enfile, et une fois que c'est fini il l'enlève, il fait un nœud, il met une ficelle et une pierre au bout, jette le tout dans les cabinets, et Ginette lui dit :

– Celui-là, s'il s'en sort, on l'appellera Indiana Jones !

☆

C'est Guytou qui est au bord de la falaise d'Étretat. La lune est pleine, la mer est démontée, il n'y a personne sur la plage et pourtant il fait de grands signes en criant : « Ouououh ! Ouououh ! »

Au bout d'un moment, un pépère arrive et lui demande :

– Excusez-moi, jeune homme, mais ça fait une demi-heure que je vous vois faire des signes et il n'y a personne. Ça ne va pas ? Vous ne vous sentez pas bien ?

– Écouteeez ! J'ai regardé la météo hier soir, et ils ont annoncé pour cette nuit un vent d'ouest d'au moins dix nœuds. Alors moi j'attends !

☆

Vous savez, Madame Grinderch et Madame Saillardch sont des personnes âgées qui bougent beaucoup. Un jour elles vont visiter l'Afrique, et malheureusement elles se font attraper par des cannibales.

Le chef commence à faire bouillir la marmite et met Madame Saillard dedans avec sa robe en taffetas pour que ça donne du goût. Madame Grinderch regarde ça sans rien dire, mais au bout d'un moment il faut toujours qu'elle critique :

– Ah mais enfin, vous pourriez mettre la table, quand même ! Vous n'allez pas manger avec les doigts ! Et puis on sort une belle nappe, quand on fait un festin. Ils ne savent pas vivre, ces gens-làch ! Et les condiments, vous avez pensé aux condiments ?

Le chef fait :

– Ben non...

– Attendez, je m'occupe de tout !

Alors elle s'approche de la marmite où Madame Saillard est en train de bouillir, elle relève le couvercle et elle fait :

– Madame Saillard, vous ne pouvez pas bouger un peu, j'ai peur que le riz accroche !

☆

C'est une petite fille qui dit à sa maman :
– Oh maman, regarde, c'est rigolo ! Je viens de donner un bout de brioche au chien et il remue la queue !
Et sa mère lui fait :
– T'as qu'à en donner à ton père !

☆

Jean-Xavier, s'il est toujours fourré chez le docteur Jacquot, ce n'est pas qu'il soit malade : il est tout simplement amoureux de son praticien. Mais bien sûr, pour donner le change, chaque fois il lui dit :
– Oh, docteur ! Ça va pas du tout, ça ne va pas du tout !
– Écouteeez ! Je vais vous examineeer ! Déshabillez-vous.
Jean-Xavier se déshabille, s'allonge sur la table de consultation et le docteur Jacquot commence à le palper partout en lui demandant :
– Écouteeez, je ne comprends pas ! Où avez-vous mal ?
– Partout où vous ne touchez pas !

Un jour, Jésus réunit tout son fan club d'apôtres et leur dit :

– Aujourd'hui, on va marcher sur l'eau !

Alors les mecs :

– Oh ouais, ouais ! Toi si tu veux, hein, mais nous on n'est pas...

– Non, Pierre, je déconne pas, on va marcher sur l'eau...

– Bon, bah si tu le dis, hein ! On suit ! T'as qu'à faire, et nous on y va !

Jésus commence à marcher sur l'eau, puis il se retourne et lance :

– Allez, suivez-moi !

Pierre y va et s'exclame :

– Mais ça marche ! C'est étonnant, ça alors, ça marche !

Et puis tous y vont, et ça marche. Sauf pour Judas, qui se fait une petite brasse papillon. Alors Jésus lui dit :

– M'enfin, Judas, marche sur l'eau !

– Eh t'es con, elle est bonne !

☆

C'est un jeune homme très smart, très bien, qui s'appelle Jean-Hubert du Fermoir de Monsac. Un soir, à un bal de charité du Racing, un des derniers foyers du socialisme, il fait la connaissance d'une merveilleuse jeune fille qui répond au doux prénom de Ginette. Ils discutent, ils parlent littérature, comparent leurs lectures, et puis le jeune homme invite la jeune fille à venir chez lui.

– Venez donc prendre un dernier drink à la maison. On fera mieux connaissance !

– Bien sûr, avec plaisir, aow !

Alors ils vont chez le jeune homme qui habite au dernier étage d'une tour de la Défense, puis Jean-Hubert ouvre le frigo et dit :

– Alors, qu'est-ce que je vous propose ? De la bière ou du champagne ?

Et Ginette lui répond :

– Je prends du champagne, c'est plus poétique ! Car voyez-vous, quand on tient une coupe de champagne à la main, que les lumières jouent à travers toutes ses petites bulles qui montent à la surface comme autant de planètes inexplorées, je sens mon âme s'envoler tel un ballon vers des sphères cosmiques insoupçonnées ! Et quand je bois de la bière, je pète !

☆

C'est un monsieur qui va voir le docteur Jacquot et qui lui dit :

– Monsieur, je viens vous voir parce que je ne me sens pas très bien.

– Écouteeez ! Je vais voir ça ! Est-ce que vous mangez raisonnablement ?

– Oui, de ce côté-là ça va...

– Est-ce que vous buvez raisonnablement ?

– Oui, et je ne fais pas d'excès !

– C'est bien ! Et pour le boum-boum crac-crac ?

– Une ou deux fois par mois.

– Seulement une ou deux fois par mois ? Oh non, ce n'est pas assez !

– Ben vous savez, pour un curé de campagne, c'est déjà pas si mal...

☆

C'est dans une émission littéraire genre Ex-lubrique, et le présentateur interviewe l'homme le plus riche de France qui vient tout juste d'écrire un livre :

– Ce qui est extraordinaire, vous arrivez d'Algérie, on ne sait pas très bien quoi faire dans ces périodes troubles, et vous-même vous ne savez pas très bien. Alors finalement vous arrivez à Paris, vous êtes sur le pavé, et c'est là que la fortune vous tombe dessus, Maurice Gomez, on ne sait pas d'où mais c'est comme une espèce de manne céleste... Et puis de toute façon cette fortune, cette semoule, c'est bon comme là-bas. Mais alors comment êtes-vous devenu riche, parce qu'à la lecture du livre, on ne sait pas ?

– C'était une époque, quand même, si vous voulez, c'était une époque troublée. On s'est retrouvés une main devant, une main derrière quand nous sommes partis de là-bas. Alors si vous voulez, donc, moi j'ai fait connaissance avec Paris... Bon moi j'étais pauvre, j'étais pratiquement à l'état de clochard... Et je me souviens très bien, j'avais marché dans le boulevard Saint-Germain. J'ai trouvé une saucisse de Toulouse. Par terre. Même qu'au début j'ai cru que c'était une crotte de chien...

– Oui, quoi, la confusion normale...

– Oui, la confusion normale, et même une confusion tout à fait normale. Et puis j'ai ramassé cette saucisse de Toulouse. J'ai constaté que la moitié de la saucisse était pourrie et que l'autre moitié était bonne. Donc, j'ai coupé la saucisse en deux et j'ai revendu la partie qui était bonne cinquante centimes de l'époque. Et puis avec les cinquante centimes, chez un traiteur arabe, j'ai racheté deux saucisses de Toulouse. Mais alors deux saucisses de Toulouse entièrement bonnes.

– Oui, il y a l'effet boule de neige qui est absolument bouleversant, et c'est d'ailleurs l'objet du huitième chapitre. Mais je ne voudrais pas vous couper...

– Non mais c'est déjà fait, merci ! Alors j'ai donc revendu ces deux saucisses de Toulouse, bonnes, fraîches, deux francs cinquante de l'époque. Ce qui m'a permis de racheter, si vous voulez, des saucisses de Toulouse absolument pas avariées que j'ai aussi revendues. Et bientôt, je me suis retrouvé à la tête d'un capital de quinze francs cinquante.

– Ce n'est quand même pas comme ça que vous êtes devenu riche ?

– Ah non, non, le mois d'après, j'ai hérité de mon oncle !

☆

C'est Jean-Loup qui devait épouser Ginette. Et comme Ginette est d'une famille très très croyante et que sa tante, madame Grinderch, lui avait dit « Pas avant le mariage ! Ça retarde la cérémonie ! », Jean-Loup avait joué le jeu. Il n'avait pas touché Ginette, rien du tout. Il l'emmenait au cinéma, il la ramenait le soir et à peine s'il lui faisait un petit bisou dans le cou mais c'est tout. Et voilà-t-y pas que la Ginette est enceinte ! Alors Jean-Loup est écœuré :

– Ah putain ! Pour une fois que je me conduis bien avec une gonzesse !

Bref Jean-Loup est désespéré. Il ne sait plus qui croire ni quoi faire... Finalement, il se tourne vers la religion et un soir, écœuré par les gonzesses, écœuré par la vie, écœuré par les mensonges, il entre dans une église à Sainte-Julie-du-Poitou. Une faible lueur éclaire encore la sacristie. Et là, il y a le Père Favier qui lui dit :

– Vous avez l'air bien en peine, mon fils ! Je vous écoute !

– Eh bien voilà. Je devais me marier religieusement et puis tout ça, et j'ai vachement respecté le code du rituel catholique romain. Alors je l'ai pas touchée, ma Ginette, et pourtant elle est enceinte ! Moi, du coup, je suis désespéré. Je ne crois plus en Dieu, je ne crois plus aux femmes...

– Mon fils, mon fils ! Ne vous emballez pas... Vous savez, il y a des miracles. Rappelez-vous la Sainte Vierge !

– Oooooh ! Faut quand même pas déconner, des miracles, des miracles... Justement, il n'y a pas de miracle ! Par exemple, si je vais à la chasse sans cartouches et qu'il y a une bécasse qui passe, je tire, ça fait clic. Et si elle tombe morte, qu'est-ce que je vais penser, moi ?

– Vous penserez que quelqu'un a tiré un coup à votre place !

☆

Dieu vient tout juste de créer le Paradis terrestre. Donc, ça se passe il y a très très longtemps, Adam se retrouve tout seul et il s'ennuie un peu. Il faut dire qu'un mec tout seul, quand il a fait le tour du jardin d'Éden trois ou quatre fois, il se casse les pieds quoi. Alors voyant ça, Dieu lui dit un jour :

– Bon, allez, donne-moi ta côte !

– Et pourquoi ?

– Je vais te faire une compagne.

– Oh c'est sympa, Dieu ! Parce que bon, je commençais à m'emmerder ! Oh ouais, sympa !

Et Dieu lui fait une compagne. Adam est drôlement content, sauf que tous les soirs il faut qu'il fasse un rapport à Dieu. Dieu leur demande ce qu'ils ont fait de leur journée parce qu'il est très suspicieux :

– Alors, hein, qu'est-ce que vous avez fait aujourd'hui ?

– Ben aujourd'hui, si tu veux, il ne faisait pas un temps terrible, hein... Mais on s'est quand même dit qu'il allait y avoir quelques éclaircies, et on est allés se promener. Là, on a rencontré un serpent. Un animal sympa. Il avait une pomme dans la main.

– Faut pas prendre Dieu pour un con, les serpents n'ont pas de main !

– Bon enfin, dans la bouche si tu veux. Et il nous a filé la pomme. Nous, on n'a pas fait gaffe, et on l'a bouffée. Ève en a mangé la moitié, et moi l'autre. Puis après il a fait beau, le soleil est revenu. Elle a commencé à me faire un petit bisou, à se frotter, tout ça, et elle m'a dit : « Si on inventait l'humanité ! » Je lui ai répondu : « T'es con, ou quoi ? On a autre chose à foutre. Non arrête, après on va être emmerdés et tout. » M'enfin elle insistait, elle continuait à se frotter, tout ça, et puis voilà. Il fallait que tu le saches, on a fait l'amour.

– C'est bien ! Je ne vois pas ce que vous pouviez faire d'autre. Et après ça, qu'est-ce que vous avez fait, après ça ?

– Après, si tu veux, moi j'étais crevé, j'ai dit : «Ève, je vais faire une petite sieste quand même pour me retaper. » Et Ève, comme il y avait une rivière pas loin, elle est allée se laver, si tu veux elle a été faire sa toilette dans la rivière.

– Mais vous êtes cons, vous êtes cons !

– Bah pourquoi ?

– Parce que maintenant, tous les poissons vont sentir comme ça !

☆

C'est Poulossière qui va voir le docteur Jacquot pour se faire faire un ketchup, un bilan de santé comme chez Midas. Et là, il y a le docteur qui lui fait :

– Écouteeez ! Vous avez l'air robuste, c'est normal, vous menez une vie saine, les travaux des champs, le bon air, la nature, tout ça... Mais au fait, vous êtes marié ?

– Oui !

– Combien d'enfants ?

– Dix-sept !

– Ça alors ! Dix-sept enfants ? Et tous du même lit ?

– Non ! Il y en a eu trois sur le poteau et deux sur la moquette !

☆

Ça se passe dans un cinéma sous l'Occupation. Dans la salle, il y a les Ginette, les Jean-Loup et les Poulossière de l'époque, et ils regardent les actualités. Tout à coup, un officier allemand arrive et dit :

– Bardon, bardon monzieur, bardon matemoizelle !

L'officier allemand s'assoit, enlève sa casquette, retire ses gants et il commence à regarder les actualités :

– Aaaah ! Ya schön, gut, wunderbar !

Au bout d'un moment, Ginette se lève et lui fait :

– Tiens, prends ça dans la gueule !

Paf, elle lui met une tarte. Puis Jean-Loup se lève et s'écrie :

– Ta, tu vas voir ta gueule !

Et paf ! Après quoi, le Poulossière qui était derrière prend sa canne et en donne un grand coup à l'officier allemand qui hurle :

– À l'aite ! Au zegours !

Cinq minutes après le cinéma est encerclé, tout le monde embarqué à la Kommandantur, et un type de la Gestapo demande à Ginette :

– Mademoiselle, vous avez frappé un officier allemand. Est-ce que vous pouvez m'expliquer pourquoi ?

– C'est-à-dire... c'est-à-dire que j'étais en train de regarder les actualités, et l'officier allemand a posé sa main sur mes genoux, ce grand dégueulasse ! Alors je lui ai mis une gifle instinctivement. Je n'ai pas vu que c'était un Allemand.

– Ah bon, ah bon ! C'est vrai que pour un officier allemand, c'est très incorrect. On va faire un rapport et on va le muter sur le front de l'Est parce que quand même ! Quand même ! Ce n'est pas bien ! Mademoiselle, vous avez bien fait, vous êtes libre ! Vous voyez qu'on est pas des barbares, qu'on comprend les choses. Alors au revoir, et pardon pour le dérangement !

Vient le tour de Jean-Loup et l'Allemand lui dit :

– Jeune homme, vous avez frappé un officier allemand : vous savez ce que cela signifie ?

– Eh l'aut' ! Il touchait les cuisses à ma gonzesse, alors je lui ai cassé la gueule ! Normal hé !

– Du calme, du calme... Parce que vous êtes le mari de...

– Ben ouais !

– Alors bien sûr, je comprends votre réaction. C'est vrai que... Non mais décidément, cet officier, je vais l'envoyer sur le front de l'Est immédiatement. On va prendre son nom, son matricule, et ça ne va pas traîner. Quant à vous, vous êtes libre, jeune homme ! Vous voyez, nous comprenons les choses ! Nous, à la Gestapo, nous ne sommes pas des sauvages. Voilà, au revoir ! Suivaaant !

Eugène Poulossière succède à Jean-Loup et l'Allemand lui fait :

– Alors comme ça, vous avez donné un coup de canne sur la tête d'un officier allemand. Pour quelle raison ?

– Bah euuuuuh...

– Je vous écoute.

– Eh ben, c'est-à-dire que j'ai vu tout le monde le frapper... Alors moi, j'ai cru que la guerre était finie, quoi !

☆

C'est Hitler qui meurt. Il arrive là-haut, à la porte du paradis, et il sonne en gueulant :

– Ouvrez la porte !

Il y a saint Pierre qui fait :

– Qu'est-ce que c'est que ce mec ? Qu'est-ce que c'est ce mec ?

– Ouvrez la porte, je suis le Führer !

– Hé, on se calme, mon pote ! Il est con, çui-là !

Et puis finalement, saint Pierre le fait entrer au Paradis. Seulement, très vite, Hitler se fait remarquer. D'abord, il trouve que les anges ne sont pas bien alignés, et il les fait mettre en rang. Ensuite, il les fait défiler en levant les ailes.

Alors Dieu finit par s'énerver et dit :

– On ne va pas pouvoir le garder ! Ce n'est pas possible. On va le foutre en enfer, au moins on sera peinards.

Il arrive en enfer, et c'est pareil. Au bout de deux jours, il casse les sabots de tout le monde en faisant marcher les diables au pas de l'oie et en voulant remplacer leurs fourches par des mausers à baïonnette.

Tant et si bien que les démons se disent :

– Il nous emmerde, ce mec ! On n'en veut pas ici. On va le foutre au purgatoire.

Et au purgatoire, c'est pareil, il impose le port de l'uniforme, organise des revues de détail, hurle « présentez âmes ! » et tout ça. Bientôt tout le monde en a marre, et Dieu décide de le virer en le renvoyant sur Terre.

Alors il le convoque et il lui dit :

– Bon, je vous accorde une permission. Le problème, c'est que vous ne descendez pas comme ça, hein ! Vous enlevez l'uniforme, vous passez chez le coiffeur et vous vous faites couper la mèche et la moustache parce que sinon on va avoir des emmerdes. Et puis vous me mettez un tee-shirt Mickey, un bermuda et des baskets pour qu'on ne vous repère pas...

Hitler fait :

– Et vous me donnez combien de temps ?

– Le temps que vous voudrez : c'est une permission illimitée !

Deux heures après, on frappe de nouveau à la porte du paradis, c'est Hitler qui revient. Alors Dieu lui demande :

– Vous êtes déjà revenu ! Qu'est-ce qui vous arrive ?

Et Hitler lui répond :

– Je n'irai plus jamais sur Terre, quel bordel !

– Pourquoi vous dites ça ?

– Maintenant ce sont les Juifs qui font la guerre et les Allemands qui font des affaires !

☆

C'est le docteur Jacquot qui a un client alcoolique invertébré comme on dit. Ça fait des années qu'il boit. Alors il arrive dans le bureau du docteur Jacquot qui ne sait plus quoi faire pour lui. Un jour, tout de même, il décide de lui faire une projection de diapos et il lui dit :

– Écouteeez ! Je vais vous montrer comment vous vous ruinez la santé ! Regardez la première diapo. Voici un foie normal.

– Euuuuh, berk, il est pas beau !

– Attendez ! Voici la deuxième diapo, le foie d'un alcoolique. Regardez ces veinules qui granulent. Ces vaisseaux qui pustulent. Ce pancréas qui ne crée plus. Ce calcaire qui bouche les trous...

Le mec regarde et fait :

– Oh ! la la ! Oh ben oui, merde alors !

Le docteur sourit et lui demande :

– Ça y est, vous êtes convaincu ?

– Ah ça, docteur, vous m'avez convaincu !

– Vous arrêtez de boire ?

– Non, j'arrête le cinéma !

☆

C'est une histoire qui commence tristement mais qui finit bien. C'est un vieil aristocrate, le baron Edmond de La Roquette. Avant la Première Guerre, c'était un homme extraordinaire qui menait grand train. Il habitait le château de Fontanges, allait de temps en temps, d'un saut de fiacre, flamber quelque menue monnaie à Enghien ou à Deauville, et même qu'il a eu les maîtresses les plus célèbres de l'époque : la Cécile Sorel, la Sarah Bernhardt, la Mata Hari et bien d'autres...

Aujourd'hui le baron Edmond de La Roquette est à l'hospice, mais un hospice superclasse pour gens riches. Ça s'appelle les Feuillantines, et c'est un endroit vraiment très chic. À midi, sœur Marie-Ange des Stigmates sonne pour la soupe. Ding, ding, le baron va prendre sa soupe et ensuite il part rêvasser dans le jardin. Là, un jour, il voit la fourgonnette de l'hospice qui ramène une vieille dame, la baronne Poulenc.

– Ooooooh, ça alors ! s'exclame le baron Edmond de La Roquette en la voyant.

C'est qu'ils se connaissent, ils se rencontrés au Casino d'Enghien quand ils avaient vingt ans ! Alors ils se regardent, ils se redressent, ils se sourient, et d'un seul coup un éclair passe dans leurs yeux. Puis la baronne s'approche du baron et lui fait :

– Ooooooh, mon vieux complice !

Et l'autre lui répond :

– Aaaaaah ! Mes vieilles couilles aussi !

☆

Eddie Barclay vient de mourir, il sonne à la porte du Paradis et saint Pierre lui fait :

– Alors vous, attendez ! Monsieur Eddie Barclay, écoutez, on est ravi de vous avoir. Le problème c'est que, quand même, vous avez mené une vie plutôt dissolue, hein mon petit père ! Je vois sur votre fiche que vous vous êtes tapé plein de nanas, que vous n'avez pas arrêté de faire la bringue, que vous avez vidé des dizaines de milliers de bouteilles, alors non, vraiment, il va falloir payer un petit peu...

Là-dessus saint Pierre appelle l'enfer et dit à Satan :

– Mon cher Satan, je vous envoie Eddie Barclay. Vous connaissez ? Bien, vous me le gardez une petite semaine, et après on le reprendra chez nous. Mais il faudrait qu'il morfle une bonne semaine quand même!

Et hop, Eddie Barclay descend en enfer. Deux ou trois jours après, saint Pierre se dit qu'il va aller voir comment ça se passe. Il sonne, Satan lui ouvre et il lui demande :

– Bonjour, comment ça va? Je viens vous voir pour prendre des nouvelles d'Eddie Barclay. Alors, ça roule? Il déguste?

– Ouais, ouais, pas de problème. Venez voir comment je l'ai installé!

Satan ouvre un petit judas et saint Pierre jette un coup d'œil dans la chambre. Eddie Barclay est là, une superbe gonzesse assise sur ses genoux et une bouteille de whisky à la main. Et saint Pierre de piquer une colère noire :

– Vous vous foutez de ma gueule! Je vous avais demandé de me le punir, pas de lui arranger un séjour aux petits oignons!

Alors Satan lui répond :

– Ne vous fiez pas aux apparences : il est bel et bien puni! Parce que la bouteille elle a deux trous, et la gonzesse elle n'en a pas!

☆

C'est deux Marseillais qui boivent un coup au Pescadou et il y en a un qui dit à l'autre :

– Oh peuchère, il m'est arrivé un de ces trucs,

alooors ! Hier, j'ai rennncontré une gonzesse, une belle petite. Elle m'a emmené chez elle. Oh ! fatche de cong ! Oh ! fan de chichounette !

– Ah ouais, qu'est-ce qui s'est passé ?

– Attends, attends ! On va chez elle. En ennntrant dans le salon, elle se déshabille et me fait : « Tu veux que je te fasse la temmmpête ? » Alors moi tu m'connais, j'y dis : « Ben ouais, vas-y ! » Oh putaing ! elle branche l'aspirateur, elle me le passe dans les cheveux et tout... Après elle me déshabille, elle m'enlève la chemise et le tricot de peau, et puis elle me dit : « Tu veux que je te fasse la pluie ? » Bonne mère, moi, tu me connais, je lui dis : « Vas-y. » Alors elle ouvre le robinet et commence à en foutre partout ! Et après, elle me fait : « Tu veux que je te fasse la tornade ? » Moi, tu me connais, je suis pas contrariannnt : elle me monte dessus avec le sèche-cheveux, elle me le passe partout, et elle me fait la tornade...

– Bon, bref, et après : tu l'as baisée ?

– Tu es fada ? Avec un temps pareil ?

☆

Ça se passe à la campagne dans la ferme d'Eugène Poulossière. Dans cette ferme, il y a des animaux, des poules, des vaches, un cheval, des cochons, et aussi un petit chien bâtard. On ne sait pas très bien la race, on dirait un genre de croisement entre le crapaud-buffle et le scooter. Et en plus, ce petit chien a des fantasmes : il aimerait avoir des rapports sexuels avec le cheval. Même les animaux ont des fantasmes sexuels ! Seulement, le petit chien bâtard ne sait pas trop comment aborder la chose et il se dit : « Je lui demanderais bien, mais il va se vexer et puis il va me foutre un coup de sabot dans la gueule ! Comment je pourrais faire ? » Un jour, il prend son courage à deux pattes et il s'approche du cheval en disant :

– Dis-moi, je pourrais te demander un truc ? Depuis le temps qu'on se connaît, on est copains, hein ? Alors voilà, figure-toi que dans ma vie de chien, dans ma putain de vie, j'ai toujours rêvé de faire l'amour avec un cheval...

Et le cheval lui répond :

– Bof, ça te ferait plaisir ?

– Ben oui !

– Ça te ferait vraiment plaisir ?

– Ah ouais, j't'assure ! C'est un truc dont j'ai toujours rêvé...

– Bon, ben vas-y si tu veux !

Alors le petit chien bâtard monte sur le cheval, et au bout d'un moment il lui dit :

– Dis, tu pourrais pas faire un peu semblant ? Parce que là, vraiment, c'est pas le pied ! Je n'sais pas, moi, pousse des cris !

Et le cheval :

– Aaaaah ! Oooooh ! Hihihihi !

Crac-crac, le petit chien bâtard termine sa petite affaire et le cheval se dit : « Il n'y a pas de raison que je me laisse faire comme ça. Moi aussi, j'ai le droit d'avoir des fantasmes... » Alors il fait :

– Dis donc, tu sais, moi aussi j'aimerais bien essayer avec un chien...

– Oui, bon, bah si tu y tiens... lui répond le chien. Allons-y, pendant qu'on y est !

Hop ! le cheval s'y met, mais au bout d'un moment il s'énerve et dit :

– Alors ça, ça va pas du tout ! Mais pas du tout ! Moi tout à l'heure j'ai poussé des cris, j'ai secoué la crinière, j'ai fait semblant de prendre du plaisir ! Tu pourrais faire pareil !

Et le chien lui répond :

– Moi je veux bien, mais alors recule de cinq bons centimètres pour que je puisse secouer la tête !

☆

C'est un mec qui va bouffer dans un mauvais restaurant. Il a commandé une poularde de Bresse, et non seulement elle est dure mais la sauce est absolument dégueulasse. Alors il appelle le serveur et lui fait :

– Sa poularde de Bresse, au chef, vous pourrez lui dire qu'il peut se la mettre où j'pense !

– Impossible, Monsieur : il a déjà une salade, une côtelette et deux terrines.

☆

Le baron de La Rondelière est un vieux monsieur très fortuné. Ça arrange bien des choses, au point qu'il peut se payer le luxe de louer une suite à l'hôtel George-V et d'y ramener une danseuse du Moulin-Rouge. Le lendemain matin la fille prend son petit déjeuner au lit, et pendant ce temps-là, dans la salle de bains, le baron de La Rondelière s'exclame :

– Ah, c'est formidable ! Il y a des matins comme ça, quand je me rase, j'ai l'impression d'avoir vingt ans !

Et la danseuse lui répond :

– Alors c'est le soir que vous devriez vous raser !

☆

Ça se passe à l'école. L'institutrice c'est Ginette, et elle demande aux tout-petits :

– Est-ce que vous pouvez me donner des exemples de pannes ? Qu'est-ce qu'il y a comme pannes ?

– Y a des pannes de télévision !

– Oui, c'est bien, aow ! Un autre exemple ?

– Y a des voitures en panne !

– Excellent. Et encore ?

– Et puis il y a des pannes de chiens !

– Des pannes de chiens ? Qu'est-ce que c'est que des pannes de chiens, aoww ?

– Je sais pas, mais dans la rue j'ai vu un chien qui en remorquait un autre !

☆

Comment appelle-t-on un Grec qui a cinq cents copines ?

– Un berger !

☆

C'est une famille d'escargots suisses, et il y a la maman escargot qui demande à son petit :

– Albeeert, va donc nous chercher de la salaaade ! Et fais viiite, on t'attend pour déjeuuuuuner !

Alors Albert part avec sa petite maison Bouygues sur le dos et ses antennes pour écouter Europe 1. Un mois après, pas de nouvelles. La maman escargot va regarder à la fenêtre, voit le petit Albert qui est toujours sur le pas de la porte et lui dit :

– Ben aloooors, qu'est-ce que tu fouuuuus ?

– Ah m'engueule paaaas, sinon j'y vais paaaaas !

C'est une femme du seizième, très snob, qui dit à son mari :

– Bon, chéri, ce week-end, aow, j'aimerais bien faire quelque chose d'original ! J'aimerais partir dans un endroit où je n'ai jamais mis les pieds, aow !

Et son mari lui répond :

– Alors va dans la cuisine !

☆

Guytou et Jean-Xavier, ça fait dix ans qu'ils vivent ensemble. Et ça se fête, dix ans de vie commune ! Alors Guytou dit à Jean-Xavier :

– Dix ans, tu te rends compte ? Il faut arroser ça !

– OK, je vais chercher le champagne et la vaseline.

Cinq minutes après Jean-Xavier revient et dit :

– Il n'y a plus de vaseline !

– Eh bien tant pis, cul sec !

☆

Vous savez, en Belgique, c'est pas le grand grand amour entre les Flamands et les Wallons. Même qu'il y a souvent des manifs et qu'ils se mettent sur la gueule. Un jour que les Flamands défilent et cognent sur les Wallons avec leurs pancartes, il y a la police qui arrive et un brigadier se met à gueuler :

– Séparez-les ! Séparez-les ! Vite, ils vont s'entre-tuer ! Séparez-les !

Puis il prend le porte-voix et ordonne :

– Les Flamands à gauche, les Wallons à droite !

Et là, il y a un mec qui s'avance et qui fait :

– Et nous, les Belges, on s'met où ?

☆

Madame Grinder a lu dans *Télépoche* que Liz Taylor se remariait pour la trente-troisième fois et qu'elle a décidé de se faire faire un lifting. Alors elle va voir le docteur Jacquot et lui demande :

– Est-ce que vous pouvez me faire un lifting ?

– Écouteeez ! Si vous vouleeeez ! On va se mettre à plusieurs...

Et ils lui font son lifting. Le lendemain matin, madame Grinder se regarde dans la glace et dit au docteur :

– Oh j'ai bien faitch ! Ah c'est nettement mieux ! Oh, je suis mieux qu'avantchch ! Regardez, docteur : par exemple avant je n'avais pas de fossette au menton, et maintenant j'en ai !

– Écouteeez, c'est votre nombril !

C'est Ginette qui fait la classe aux tout-petits de la Seine-Saint-Denis. Alors elle pose son P38, elle enlève son gilet pare-balles et elle dit :

– Bon, on va étudier les insectes, aow ! Est-ce que vous pouvez me donner des noms d'insectes et dire à quelle famille ils appartiennent ?

– La coccinelle !

– Oui, la coccinelle d'accord, et elle est de quelle famille ?

– De la famille des coléoptères !

– Très bien ! Un autre exemple ?

– Madame, madame ! Le papillon !

– Et c'est quelle famille, le papillon ?

– C'est aussi la famille des coléoptères !

– Bravo Jeanjean. Et toi, mon p'tit Guigui ?

– Les morpions !

– Oui, enfin bon... Et c'est quoi, la famille ?

– C'est la famille des collés aux couilles !

☆

C'est Josy, la copine de Ginette. Elle a trouvé du boulot dans une nouvelle affaire de Bernard Tapie, une boîte qui fait de l'importation et de l'exportation de riz et qui s'appelle Tapie's-Riz. Josy a été engagée comme hôtesse d'accueil. Un matin, un peu distraite, elle vient au travail avec une minijupe mais en ayant oublié de mettre sa culotte, et un client japonais arrive.

– Bonjour, je suis l'humble Hoshido Yakamoto et j'ai rendez-vous avec l'honorable Bernard Tapie !

– Très bien, monsieur Hoshido Yakamoto, veuillez vous asseoir dans le fauteuil en face, monsieur Tapie vous reçoit dans cinq minutes.

Le Japonais s'assoit en face de Josy, commence à rougir – ou plutôt à orangir –, à suer à grosses gouttes et à baver en regardant sous la table. Au bout d'un moment, Josy en a marre et lui dit :

– Bon bah quoi, qu'est-ce qu'il y a ? Qu'est-ce qui vous fait cet effet ?

Un peu gêné, le Japonais lui répond poliment :

– Je regarde la télévision !

Et Josy lui fait :

– Ben revenez demain, ça sera en couleurs !

☆

Le Flamant Vert, vous connaissez ? Ça se trouve du côté de Montmartre, et c'est une boîte de strip-tease pour touristes. Il y a de tout : des Japonais, des Belges, des Italiens... Un soir, par hasard, le docteur Jacquot passe par là, prend un verre et assiste à un numéro de strip-tease d'un érotisme absolument torride. À tel point qu'à la fin du spectacle, il va voir l'effeuilleuse dans les coulisses et lui fait :

– Écouteeez ! Dites-moi vos conditions, je vous engage !

Et la fille lui répond :

– Pourquoi, aow ? Vous êtes patron d'une boîte ?

– Écouteeez, pas du tout, je dirige une banque du sperme !

☆

C'est Poulossière qui a une grande fille d'une vingtaine d'années. Le fils Rothschild l'a mise enceinte, mais l'Eugène ne se dégonfle pas. Il va à Paris, entre dans l'immeuble des Rothschild et dit :

– Je veux voir le directeur !

– Écoutez, aow ! Monsieur le directeur est très occupé, aoww ! Je pense malheureusement qu'il n'aura pas le temps de vous recevoir...

– Et moi j'vous dis qu'il va me recevoir parce qu'il s'agit d'une affaire de famille : cré bon gu, il a quand même foutu ma fille enceinte !

Ni une ni deux, il pousse la porte d'un bureau et tombe sur monsieur de Rothschild qui lui dit :

– Oui, c'est pourquoi ?

– C'est pourquoi, espèce de saligaud ? C'est ben vous qu'avez foutu ma fille enceinte, non ?

– Oui, je vois, alors calmez-vous ! Car j'ai tout prévu ! Voilà, pour l'accouchement, je prends tout en main. Votre fille recevra une pension de 80 000 francs par mois, et le petit une autre de 150 000 francs. Et pour qu'ils soient au calme, je leur ai acheté un petit pavillon à Honfleur. Enfin, je n'ai pas oublié les parents, c'est-à-dire vous, puisque vous toucherez pour votre part une rente annuelle de 150 000 francs. Je vais d'ailleurs vous faire le chèque tout de suite.

Et là, Poulossière lui fait :

– Oui mais dites donc, si jamais elle nous faisait une fausse couche, vous lui donnez une deuxième chance ?

☆

C'est un jeune homme très très maladroit qui a eu un accident idiot : il s'est sectionné les boboles en ouvrant des huîtres. Alors il va à la clinique du docteur Jacquot qui lui dit :

– Écouteeez ! De nos jours, ça peut s'arranger. On peut très bien s'en passer !

– Ah non, moi, j'avais l'habitude, j'aimerais bien que...

– Écouteeez ! Je vais vous greffer deux pommes de terre. Ça se fait beaucoup, c'est écologique. Vous verrez, ça remplace très bien.

Et effectivement à la place des boboles, il lui met deux belles patates du Charolais. Un mois après, le mec revient et lui dit :

– Bonjour docteur ! Vous vous rappelez ? C'est moi à qui vous avez greffé deux pommes de terre à la place des boboles...

– Ah oui, je me souviens très bien ! Alors ça se passe comment ? Pas de phénomène de rejet ?

– Non, non, de ce côté-là ça va ! Juste une petite chose : le matin c'est énervant, parce que je trouve des doryphores dans mon slip.

☆

C'est Maurice qui rencontre David et David lui fait :

– Oh ! mon pov' Mauriiice !
– Quoi ? Qu'est-ce qu'il y a ?
– C'est vrai que ton usine a brûlé ?
– Chuuut ! Demain, demain !

☆

C'est le petit Guigui qui rentre un soir de l'école en demandant à sa mère :

– Dis, maman, c'est comment le jaune ?
– T'as qu'à regarder les dents à ton père...
– Ah bon ! Et noir, c'est comment ?

– Ben noir, aow, t'as qu'à regarder les ongles à ton père !

– Et marron, maman, c'est quelle couleur ?

Et là il y a Jean-Loup qui fait à Ginette :

– Je t'interdis de montrer mes slips à ce gosse !

☆

Ginette est un peu déprimée. Alors un soir, elle va noyer sa tristesse dans un bar rue des Lombards. Elle se commande de la bière brune, elle en boit une, elle en boit deux, elle en boit trois, et elle se torche la gueule quelque chose de terrible. Le barman attend qu'elle soit ivre morte, puis il vire les derniers clients, tire le rideau de fer, attrape la Ginette, se la met sur la table et crac-crac, ni vu ni connu... Après il la rhabille et il la réveille avec deux trois baffes en lui disant :

– Ben alors, mademoiselle, c'est l'heure de rentrer vous coucher, on ferme.

– Aow ?

Le lendemain Ginette revient, se reprend une muflée à la Guinness et là, paf, elle s'évanouit. Toujours pareil, le barman la fout sur la table, crac-crac, la rhabille et la réveille :

– Ohé, on ferme !

Ça dure comme ça toute la semaine. Il est content, le barman. Et puis quand même, le vendredi, Ginette arrive et fait :

– Oh ! ça va pas du tout... Donnez-moi un Coca !

– Vous ne voulez pas une bonne bière, comme d'habitude ?

– Ah ça non, je ne sais pas pourquoi, mais j'ai l'impression que la bière ça me fait mal au cul !

☆

En allant promener son petit Guigui, Ginette rencontre madame Grinder qui revient de faire ses courses au marché Saint-Pierre et qui lui dit :

– Oh ! le beau bébéch ! Oh ! qu'il est beauch ! Oh ! ça alors, je vous fais mes compliments. Il est vraiment très très mignonch ! Ces yeux qu'il a ! Ces petits piedsch ! Et ce petit nezch ! Et ces cheveux ! Mais au fait, est-ce que son papa avait les cheveux roux, lui aussi ?

– Je ne sais pas, il avait gardé sa casquette !

☆

C'est François Mitterrand qui s'inquiète parce qu'on n'invente pas grand-chose en France. Alors il aimerait stimuler un peu la recherche et il dit à ses ministres :

– Bon, essayez de stimuler un peu les inventeurs pour qu'on soit vraiment au premier plan dans ce domaine.

Le ministre de la Recherche se met au travail, organise des commissions, commande des rapports et tout et tout, et puis un jour il revient tout fiérot en annonçant :

– Monsieur le président, on a trouvé un petit inventeur à la frontière belge. C'est un diététicien. Un type absolument génial qui a trouvé le moyen de faire du chocolat synthétique en utilisant certaines déjections...

– Vous voulez dire que... ?

– Oui, avec de la merde, monsieur le président ! Avec un subtil mélange de crottin de cheval, de bouse de vache et de crotte de chien, il vous sort des tablettes trois étoiles à l'alambic. Un vrai magicien !

– Allez vite me le chercher !

Aussitôt convoqué, l'inventeur arrive séance tenante et dit :

– Très honoré, monsieur le président ! Alors effectivement, le chocolat que je réalise est parfaitement écologique. Je le lamine, je le filtre, je l'épure par des systèmes de lavages successifs, puis je le malaxe et il ne reste plus qu'à l'emballer. D'ailleurs tenez, je vous ai apporté une tablette prototype. Regardez-moi cette belle tablette de chocolat quadrillée...

Et François Mitterrand de s'exclamer :

– Oui, effectivement, on ne voit vraiment pas la différence ! Faites voir que je goûte ? Mais... mais, c'est de la merde !

– Alors ça évidemment, pour le goût, ce n'est pas encore au point !

☆

C'est l'histoire de deux messieurs qui veulent faire des économies, et un jour il y en a un qui dit à l'autre :

– Finalement, on mange trop. C'est dans la bouffe que passe tout notre pognon. Ça sert à rien, on devrait se nourrir de trucs... Je ne sais pas, moi... Tiens, à partir de demain, on va acheter de la pâtée pour chien.

Alors voilà, c'est décidé, ils essayent la pâtée pour chien : une boîte le matin, une boîte le midi, une boîte le soir. Et une semaine après, ils se revoient et ils font le point :

– Ça va, t'es en forme ?

– Bah ouais, moi ça va, je trouve que c'est bien, ce truc-là. Il y a juste un truc qui m'inquiète...

– Quoi donc ?

– Depuis quelque temps, dès que j'ouvre une boîte, je remue la queue.

☆

Madame Grinder, à une époque, elle était directrice d'une école laïque dans un petit village du Vaucluse. Et elle était drôlement furieuse parce que tous les jours, le père Poulossière, pour gagner du temps, faisait traverser la cour de l'école à ses vaches. Et la cour de récréation était dans un état, après leur passage...

– Je leur ai écrit plusieurs fois, à la Mairiech ! Ils ne m'ont jamais réponduch ! Bon, demain, s'il revient, l'Eugène va m'entendre !

Et le lendemain, comme d'habitude, le père Poulossière arrive avec ses vaches.

– Allez, les petites !

– Dites donc, père Poulossière, vous allez me faire le plaisir de prendre vos vaches et de faire le tour ! Maintenant c'est terminé, de traverser la cour ! Enfin, quand même, ici c'est une école !

– Eh, mais ch'peux point faire le tour, moué !

– Ah oui ? Et pourquoi ça ?

– Ch' peux point faire le tour parce que ça me fait faire un cré bon gu d'détour... L'école, c'est le chemin le plus court. Vous vous rendez compte, à pied, sans chien, avec un trrroupeau de vaches ? Mais si ch' fais le tour, j' me rallonge d'au moins cinq cents mètres, ma bonne dame ! Moi, ch' peux point !

– C'est bien beau, tout ça, mais regardez-moi dans quel état vous me mettez cette courch ? C'est pas Dieu possible ! Je ne sais pas, moi ! Je veux bien que vous passiez par là, mais alors revenez nettoyerch !

– Eh, c'est qu' moué j' n'ai point l' temps, vous comprenez...

– Ah il faut trouver un moyen, ça ne peut pas continuer comme ça ! Vos vaches, elles ne peuvent pas se retenirch ?

– Ah ben vous en avez d' bonnes, les gens d'la ville... Vous savez, les vaches, pouvez toujours leur expliquer : elles font ce qu'elles veulent !

– Et si vous leur mettiez un sac sous la queue ?

– Un sac sous la queue ?

– Oui, vous voyez, un genre de petite bourse : ça ferait moins de saletésch !

– Ben moué, ça fait tantôt soixante-dix ans que j'en ai deux sous la queue, et c' n'est point pour ça que j'arrive à faire dedans !

☆

Une histoire de vin. C'est un grand œnologue qui est descendu dans le Bordelais pour goûter un petit vin de propriétaire, le Château Chirac, et il se régale :

– La couleur est belle ! Oui, bel ensoleillement. C'est un vin qui a de la jupe. Au RPR, on dit qu'il est juppé. Je vais goûter ! Sssssslu... Hummm... Reureureu... Aaaah, il attaque sèchement le palais, il est un peu râpeux ! On l'a bien en bouche. Mouis, il n'y a pas à dire, c'est un très très bon cru : je vous mettrai dix-huit sur vingt !

Pas peu fier, le propriétaire lui dit :

– Écouteeez ! Je vous remercie ! Tenez, prenez-en quelques caisses. Et puis restez déjeuner !

– Non, non, je n'ai pas fini ma tournée, faut que j'aille inspecter la vigne de votre voisin !

Et hop, l'œnologue va chez le voisin, qui n'est autre qu'Eugène Poulossière.

– Eh, monsieur l'œnologue ! Content de vous vouérrr ! Depuis l' matin, je goûte mon pinard pour vérifier. Je suis sûr qu'il vous plaira.

– Voyons voir ça !

– De toute façon, il n'y a point d' raison qu'il soit mauvais. Parce que tout de même, j'ai les mêmes ceps, la même terre et la même orientation que le voisin de chez qui vous venez !

– Sssssslu... Hummm... Reureureu... Aaaah non, non ! Oh non ! Ce qu'il est acide ! On dirait les urines de Roucas ! Alors là, mon vieux, je vous mets quatre sur vingt ! Ça ne vaut pas plus !

– Ben quoi ? À lui vous lui mettez dix-huit sur vingt, et à moi seulement quatre sur vingt alors que c'est le même ensoleillement, le même sucre et le même coteau ! C'est dégueulasse !

– Écoutez, je vais vous expliquer une chose. Vous êtes marié ?

– Bah pour sûr, que ch' suis marié !

– Alors ce soir, quand vous serez au lit avec votre dame, vous lui mettrez un doigt devant, un autre doigt derrière, vous goûterez et vous verrez la différence : ça n'a pas le même goût et pourtant ils sont voisins !

☆

C'est madame Grinder du temps où elle n'était pas encore veuve. Parce qu'elle a été mariée. Et vous savez comment est mort son mari ? Écrasé par un rouleau compresseur. Quand elle a appris ça, elle a couru à l'hôpital :
– Vite, vite, je suis la femme de l'accidentéch !
– Vous étiez la femme d'un petit gros ?
– Ouich !
– Ben maintenant, vous êtes la veuve d'un grand maigre !

☆

Deux Marseillais ont fait naufrage sur une île déserte où ils n'ont presque rien à manger. Alors ça dure, ça dure, ça dure, au bout d'un mois et demi ils ont entièrement grignoté le tronc du seul arbre qu'il y a sur cette île, et l'un des deux Marseillais a tellement faim qu'il commence à avoir des hallucinations.

Un soir, son collègue se lève pour aller faire pipi, et il regarde la zigounette de son pote comme si c'était une saucisse de Morteau. Il imagine les lentilles autour... Tout à coup, n'y tenant plus, il sort son couteau et clac ! il lui tranche la zigounette. Bien sûr, l'autre se met à gueuler :

– Aaaaah ! Oooooh !

– Gueule pas comme ça, je vais t'en donner un bout !

☆

C'est deux messieurs qui se rencontrent alors qu'ils se sont perdus de vue depuis pas mal d'années :

– Comment vas-tu ?

– Et toi-même ?

– Oh ben ça va, ça va même plutôt bien.

– Alors, t'es à la retraite ?

– Ben oui, je suis à la retraite.

– Et ton fils, le p'tit Hervé ? La dernière fois que je l'ai vu, il devait avoir douze ans ! Qu'est-ce qu'il était mignon ! Alors il devient quoi, le p'tit Hervé ?

– Bah tu sais, le petit Hervé, maintenant c'est un homme. Il est couturier...

– Ah tiens, ça c'est marrant ! Le mien aussi il est pédé !

☆

Ça se passe à Marseille, dans la cour d'une école, et il y a un gosse qui galèje :

– Bah mon père, il est tellement grand, mon père, qu'une maison normale lui arrive aux genoux.

Et l'un de ses copains lui répond :

– C'est tout ? Eh ben le mien, il est tellement grand qu'une maison normale lui arrive à la cheville.

Là-dessus un troisième gosse s'en mêle et dit au deuxième :

– Dis-moi, ton père, celui que la maison lui arrive à la cheville, quand il lève la main, il ne sent pas un truc qui le gêne ?

– Euh ouais, peut-être...

– Eh ben tu sais ce que c'est ? C'est les couilles à mon père !

☆

La ferme d'Eugène et Fernande Poulossière, c'est une ferme du dix-huitième siècle qui a été construite par un abbé. Un abbé bourré de fric qui s'appelait l'abbé Hennepé. Et cette ferme, elle en a vu de drôles : elle a d'abord été saccagée par les Boches en soixante-dix, puis bombardée en quatorze et rasée par Gillette G2 en quarante-quatre. Alors forcément, leur ferme, elle est pas du dernier confort...

Un soir, l'Eugène se met à table. La Fernande a fait une soupe aux haricots. La recette de la soupe aux haricots, c'est très simple : il faut faire bouillir les haricots dans de la graisse de putois, et quand le haricot monte, pour pas que ça déborde, on le soutient avec des fèves. Des fois, ça déborde quand même. Alors, on renforce ça avec de la farine coupée de semoule. Le père Poulossière, il se régale :

– Oh ma Fernande, ta soupe de haricots, elle était mieux que bonne. Mais bon diou de nom de diou, v'là t'y pas que ça me tutaille la boyasse ! Ah ça, il va falloir que j'y aille...

Torturé par la soupe aux haricots l'Eugène va aux cabinets, dehors, s'installe sur la cuvette... Puis tire la chasse... Et alors là, il se passe quelque chose d'extraordinaire : une vieille grenade qui était restée coincée dans la tinette depuis la guerre de quarante, et qu'ils avaient complètement oubliée, se dégoupille, explose, et on entend le Poulossière qui dit :

– Cré bon gu, heureusement que j'ai pas pété dans la cuisine !

☆

La Fernande Poulossière est accroupie en train de battre son linge au lavoir quand l'Eugène vient à passer par là. Et voyant la croupe de sa Fernande remuer au rythme du battoir, il se dit : « Ah nom de Diou de nom de Diou ! Dans la main droite elle a le battoir, dans la main gauche elle a le linge et le savon... Elle pourra point s' défendre. »

Hop il lui retrousse les jupes... Crac-crac... Et la Fernande est tellement occupée par sa lessive qu'elle ne réagit même pas. Alors l'Eugène se relève, reboutonne son pantalon, puis il lui tape sur l'épaule. Là, la Fernande se retourne en sur-sautant et lui dit :

– Ah c'est toi, tu m'as fait une de ces peurs !

☆

C'est un monsieur très chic qui va faire ses commissions avec son petit garçon. Ils achè-tent une baguette, une meringue, deux éclairs au chocolat, une bouteille de bordeaux et des pêches. Tout à coup, devant la boucherie, ils tombent sur deux chiens qui sont en train de...

– Dis, papa ! Qu'est-ce qu'ils font, les chiens, là ?

Très logique, le monsieur qui a fait l'ENA lui répond :

– C'est très simple, ils font des petits chiens !

– Ah bon ?

Le soir arrive, le petit garçon se couche, puis se relève et passe devant la chambre de ses parents qui sont en train de faire l'amour. Alors il entre dans la chambre et dit :

– Bah alors ! Qu'est-ce que vous faites ?

– Ben tu vois, lui explique le papa, on est en train de te faire un petit frère...

– Dis, maman pourrait pas se retourner ? Je préférerais un petit chien, moi !

☆

Madame Grinder, comme elle s'ennuie depuis qu'elle n'a plus de vie de femme, elle a pris un poste d'institutrice suppléante à Sainte-Ambroisine-les-Lesbiennes. Elle fait ça à mi-temps, c'est pour s'occuper, et elle donne des cours d'instruction civique. Un jour, elle demande à ses élèves :

– Quel est le plus grand patriote français ? Qui peut me répondre ?

– François Mitterrand ?

– Non !

– Le Général de Gaulle ?

– Non !

Et là, au fond de la classe, il y a le petit Gui-gui qui fait :

– Madame ! Madame ! Je sais qui c'est, moi ! C'est mon père !

– Comment ça, votre père ? Et pourquoi donc ?

– Parce que le matin il mange du bleu, le midi il boit du blanc, et le soir il voit rouge !

☆

C'est madame Grinder qui s'aperçoit qu'elle n'a pas de photo de sa petite chatte qu'elle adore...

– Mon Dieuch, se dit-elle. Cette pauvre bête commence à se faire vieille et je n'ai même pas de photo d'elle. Comment je pourrais faire pour avoir un chromo de minette ?

Alors elle va demander conseil à Ginette, sa voisine, qui lui dit :

– Écoutez, aow... J'ai un ami à la gare de l'Est qui est photographe, aoww. Vous y allez avec le métro et il se fera un plaisir de vous tirer le portrait de votre chatte. Il n'y a pas de problème !

– Oh très bien, mercich !

Aussitôt madame Grinder prend le métro avec minette dans le panier, elle descend à la gare de l'Est, et là, elle a un petit trou de mémoire :

– Qu'est-ce qu'elle m'a dit déjà, la voisine ? D'aller chez le... oh zut, je sais seulement que ça se termine par graphe !

Tout à coup, sur un panneau, elle voit écrit télégraphe. Ça doit être ça ! Alors elle entre, se dirige vers le guichet et dit :

– Bonjour monsieur. Voilà, je voudrais que vous me fassiez minette !

– Pardon ? Qu'est-ce que vous voulez ?

– Je voudrais minette dans toutes les positions, debout, assise et couchée.

Le type réfléchit un moment et lui répond :

– Bon, posez votre cul sur le guichet. Je vais chercher du renfort !

☆

C'est un monsieur qui est très malade et le docteur Jacquot lui dit :

– Écouteeez ! Vous n'en avez plus que pour vingt-quatre heures. Je préfère vous le dire brutalement ! Demain matin, ça sera fini !

– Bon bon, d'accord !

Alors le mec rentre chez lui et dit à sa femme :

– Je viens d'apprendre un truc épouvantable. Ça y est, c'est fini, je n'en ai plus que pour vingt-quatre heures...

– Mon pauvre chéri, qu'est-ce que tu voudrais qu'on fasse ? Un bon repas ? Qu'on se boive une dernière bonne bouteille ?

– Ben oui... Et puis qu'on fasse l'amour toute la nuit !

– Bah bien sûr, mon chéri !

Là-dessus ils se font un bon repas, se vident une bonne bouteille, se couchent, font l'amour une fois, deux fois, trois fois... La quatrième fois, complètement épuisée, sa femme lui dit :

– Écoute chéri, ça suffit, on voit bien que ce n'est pas toi qui te lèves demain matin !

☆

Maurice, quand il voyage, il est très très distrait et toujours pressé. Un jour il prend le TGV gare de Lyon, et il s'installe en deuxième classe. À un moment, il sent venir un gros besoin et se rend aux toilettes. Et puis il est tellement distrait qu'il oublie d'enlever son pantalon... Cinq minutes après il retourne s'asseoir, trouve ça très confortable et se dit :

– Oh ! quel moelleux, on doit être en première !

☆

Eugène Poulossière est en train de ramasser des fruits quand le père Favier vient à passer par là :

– Bonjour mon fils ! Alors, comment allez-vous ?

– Ben ça va ! Tantôt on est un peu débordés, parce qu'il faut ramasser les fruits avant qu'ils pourrissent par terre. Mais la récolte est bonne, alors on est contents...

– Ça, je dois dire que vos prunes sont bien belles...

– Vous en voulez une, monsieur le curé ? Vous verrez, elles sont délicieuses... Tenez, choisissez.

Eugène lui tend deux prunes, le père Favier en prend une, l'avale et lui dit :

– Oh ! en effet, excellentes ! Et comme elles sont juteuses !

Là-dessus, il remarque que Poulossière est en train de peler sa prune avant de la manger et le bon curé lui dit :

– Mais enfin, mon fils ! On ne pèle pas les prunes !

– Ben c'est pas pour dire, mais il y en a une des deux qu'était tombée dans la bouse et ch' sais pas laquelle !

☆

Maurice est furieux : tous les matins, le petit Guigui vient faire pipi devant la porte de son magasin, mais il arrive jamais à l'attraper :

– La purée, si je te prends, toi, tu vas voir ! Ma parole, ouarbi, j' te coupe la zigounette !

– Oh ! j' m'en fous ! Des zigounettes, j'en ai autant qu' je veux !

– Ah bon ? Sans blague ! Et comment tu fais ?

– C'est facile, je mets un piège au cul de ta fille et c'est tout bon !

☆

C'est madame Grinder qui fait la classe aux tout-petits et qui leur demande :

– Les enfants, qui peut me donner une défi-nition de l'électricitéch ?

Et le petit Guigui lui répond :

– Moi, madame ! Moi, madame ! L'électricité, c'est comme la viande !

– Comment ? Et pourquoi ça ?

– Parce que souvent j'entends mon papa qui dit à ma maman : « Allez, coupe l'électricité, on va s'en payer une tranche ! »

☆

C'est un Belge qui a décidé d'acheter la nouvelle Citroën. Alors il arrive chez le concessionnaire et lui dit :

– Oh ! elle est bien, cette voiture !

– Ah ça oui, monsieur, vous pouvez le dire : c'est justement notre tout dernier modèle !

– Mais dites-moi, le tableau de bord, c'est du sapin ?

– Non monsieur, vous voulez rire, c'est du noyer !

– Oh ! c'est bien ! Formidable ! Et là c'est quoi ?

– Ça ? C'est le téléphone !

– Eh ben alors une fois, je vais la prendre, hein !

– C'est parfait, je vois que monsieur est un connaisseur... Et, hum, vous payez comment ?

– En liquide !

Là, le vendeur ne se tient plus et lui fait :

– En liquide ? Oh ben attendez, alors je vais tout de même vous faire une remise...

– Pas la peine, j'ai un garage !

☆

C'est le même Belge qui va voir le docteur Jacquot et qui lui dit :

– Depuis quelque temps, bah ch' sais pas, mais j' me sens patraque. Est-ce que j' n'aurais pas besoin d'un peu de vacances, une fois ?

– Écouteeez ! Je vais être franc, je sais que c'est un peu brutal, mais je dis toujours la vérité. Alors voilà, il ne vous en reste que pour deux mois...

– Si c' n'est qu' ça, c'est pas bien grave, je vais m' prendre juillet-août !

☆

C'est le fils de Maurice qui fait :

– Papa ! Papa ! Cette nuit, j'ai rêvé que tu me donnais cent francs !

– Tu as été sage, tu peux les garder !

☆

Ce sont trois Anglais qui ont fait naufrage sur une île déserte. Ils sont là, ils s'embêtent, et il y en a un qui fait :

– Et si on jouait au golf, n'est-il pas ?

– Zat's immmpossibeule, mon cher, nous n'avons rwien pour ce fairwe !

– Oh ! savez-vous, il suffit de pas grwand-chose pourw jouer au golf ! Un canne, un balle, une trwou, and God save the gouine !

Alors l'autre se laisse convaincre et dit :

– Finalement vous avez waison : je vais pwen-drwe une bâton et je vais fairwe leu canne.

– Trwès bien et quant à moi, if you want, je vasions prendre une motte de terwe and tee for too, je vasions fairwe le balle !

Et là-dessus il y a le troisième qui s'écrie :

– Oh ! shoking, je vous voye venirw : pour le trou du balle vous rewpassewrez, moi je jouyes pas !

☆

C'est Mamie Chabrrrot qui est sourrrde comme un pot. Elle entend rien. Un matin, le facteur arrive et lui dit :

– Bonjour, madame Chabrot ! Je vous apporte une lettre de votre petit-fils !

– Comment ?

– Je dis : votre petit-fils, il vous envoie une lettre !

– Il va fairrre une fête ?

– Non, il vous envoie une lettre !

– Vous pouvez me la lirrre, je n'ai point mes lunettes !

– Bon, bah je vais vous la lire ! Ben voilà, il a besoin d'argent !

– Comment ?

– IL A BESOIN D'ARGENT !

– Vous pouvez rrrépéter, parrrce que j'ai point mes lunettes...

– IL A BESOIN D'ARGENT !!!

– Eh ben s'il crrrie comme ça, il n'aurrra rrrien du tout !

☆

Eugène Poulossière s'est inscrit à la chorale du curé et explique à son voisin :

– Ça, cré bon gu, je n' regrette pas d'avoir été m'inscrire à la chorrrale du currré. Ah ça ! c'est drrrôlement bien ! Quand on y va, le currré, il est gentil, il nous sert un petit porrrto. Et puis il est bon, son petit porrrto... Les currrés, comme qui dirrrait, ils se démerrrdent toujours pour avoir des bons trrrucs. Après, il nous serrrt un petit mousseux. De temps en temps, on s'en ouvrrre même une caisse... quand ce n'est pas un petit blanc du Poitou, alorrrs c'est vous dirrre ! Pis pour finir, des fois, on s' tape un petit marc de Bourgogne...

– Mais alors, vous chantez quand ?

– Ben le soir, quand on rrrentrrre chez nous !

☆

Maurice a compris que dans la vie, pour avoir une bonne situation, il faut bûcher. Et comme il a décidé de devenir fourreur, il prépare son CAP avec l'aide de sa femme. Par exemple elle lui bande les yeux, lui passe un échantillon de fourrure et lui demande :

– Ça, qu'est-ce que c'est ?

– C'est du vison à un million et demi le mètre carré ! C'est ça ?

– Tu es fort, Maurice, hein ! C'est ça ! Alors attends, je t'en passe un autre. C'est quoi, ça ?

– Du renard argenté! Huit cents francs le mètre carré! Un autre, un autre!

– Attends... Tiens!

Il touche et il fait :

– Chinchilla! Sept cents francs le mètre carré!

Bref, ça se passe plutôt bien. Sauf que le lendemain matin, sa femme fait un peu la gueule et lui dit :

– Tu sais, Maurice... Il est temps que ça s'arrête, ces examens, parce que j'en ai marre, hein!

– Ben quoi? Qu'est-ce que j'ai fait?

– Tout la nuit, tu n'as pas arrêté de me caresser en disant : balai-brosse, deux francs cinquante!

☆

C'est Ginette qui retrouve sa copine Josy et qui lui raconte la supersoirée qu'elle a passée la veille :

– Hier, j'ai été à une soirée costumée avec Bruno Tortellini, aow... Tu sais, mon voisin italien! Il est super, aoww! Oh! la la! on était déguisés tous les deux! Moi j'étais en Blanche de Castille, aow, et lui, il était en Adam!

– Noooon! Il était à poil?

– Il était pas à poil, il avait une feuille de vigne. Et maintenant, je comprends l'expression « être dur de la feuille ».

Ça se passe dans un meeting politique. Raymond Barre, Jacques Chirac et Valéry Giscard d'Estaing sont réunis dans le palais des congrès d'une grande ville de province. Un palais des congrès ultramoderne, récemment construit avec l'argent des contribuables. À un moment, Chirac est pris d'un besoin pressant et demande :

– Écouteeez, où sont les toilettes ?

– Vous prenez le couloir et c'est la deuxième porte à droite...

Cinq minutes après Chirac revient et dit à Giscard :

– Étonnant ! Vraiment étonnant ! Figurez-vous qu'il y a une sono dans les toilettes ! Pendant que vous faites pipi, ils vous passent de la musique...

– Euh, c'est cela, n'est-ce pas, mais quel genre de musique ?

– J' sais plus. Ah si, j'ai eu droit à *Joe le taxi*...

À ce moment-là, Raymond Barre s'en mêle et dit :

– Ça tombe très bien, j'avais justement une petite envie à satisfaire...

En fait Raymond Barre disparaît un bon quart d'heure et s'en revient en disant :

– Eh bien c'est vrai : et figurez-vous qu'à moi, ils m'ont passé du Mozart !

Alors Giscard n'y tient plus et leur fait :

– Ah ça, si vous permettez, il ne sera pas dit que je ne vis pas avec mon temps... Pour avoir été président on n'en est pas moins homme !

Deux minutes plus tard VGE réapparaît, mais alors dans un état ! Son pantalon et ses pompes sont archidégueulasses. Au point que Chirac lui demande :

– Mais, écouteeez, qu'est-ce qui s'est passééé ?

– Ils m'ont passé *la Marseillaise* juste au mauvais moment, et moi je me suis levé !

☆

Madame Grinder, madame Saillard et madame Leclerc sont au zoo. Il fait beau, et elles en profitent pour prendre le thé à la terrasse d'un petit kiosque. Tout à coup un buisson s'agite, un énorme gorille apparaît, enlève madame Saillard, disparaît avec elle dans le buisson, et madame Grinder repose sa tasse en disant d'un air pincé :

– Je me demande bien ce qu'il lui trouve !

☆

C'est Ginette qui va voir le docteur Jacquot et qui lui fait :

– Docteur, voilà, j'ai un petit problème, aow...

– Je vous écoute !

– Eh bien, aoww, je crois que je suis enceinte !

– Ah ! Et de combien ?

– Attendez que je me souvienne... Oh, ils étaient bien trois ou quatre !

☆

Deux vieux pépés font causette assis sur un banc en face de la mairie de Sainte-Julie-du-Poitou, et il y en a un qui demande à l'autre :

– Oh, dis, tu te souviens d'Onésime ?

– De qui tu dis ?

– Onésime ! Tu sais bien, Onésime, celui qu'était dans la Résistance, même qu'il avait fait sauter un convoi allemand à la dynamite !

– Ah non, vraiment, ça m' dit rien !

– Mais enfin, Onésime, celui qu'a fait construire la piscine de Sainte-Julie-du-Poitou du temps qu'il était conseiller municipal !

– Non non, je n' vois vraiment pas...

– Oh putain ! Onésime, le seul du village qui a jamais couché avec ta femme !

– Ah, c'était Onésime ! Je m' disais bien aussi...

☆

Ça se passe en Alsace, et c'est un petit garçon qui demande à son père :

– Papa, ma petite sœur qui est née le mois dernier, comment t'as fait ?

– C'est pas moi, Hans! Tu sais bien que ce n'est pas moi, c'est la cigogne!

Alors le petit Hans prend un air dégoûté et fait :

– Eh ben, faut être con pour baiser une cigogne!

☆

C'est Jean-Loup qui dit un jour à Ginette :

– Eh, faudrait quand même que tu m' présentes tes vieux! Je connais pas tes parents, j' connais pas ton dabe et j' connais même pas ta grosse!

– Bon, écoute, aow, si tu y tiens! Mais je te préviens, mes parents sont un peu artistes, originaux si tu préfères. Je te dis ça pour que tu sois pas choqué : ça fait trente ans qu'y vivent ensemble mais qu'y s' parlent plus.

– Qu'est-ce que c'est que cette connerie? Prise de tête!

– Non, c'est vrai, tu vas voir... Ils se sont engueulés! il y a une trentaine d'années, et depuis ils se font des gestes.

Jean-Loup va malgré tout bouffer chez ses beaux-parents. Et effectivement, ils ne se parlent pas. Tout à coup, il y a la mère de Ginette qui baisse sa jupe, puis qui baisse sa culotte et qui se gratte un petit peu... À ce moment-là le père de Ginette se met l'index de la main gauche dans le derrière et plonge l'index de la main droite dans l'aquarium du poisson rouge. Alors un peu effaré, Jean-Loup dit à Ginette :

– Mais qu'est-ce qui leur prend, ils sont complètement loufes, tes vioques ! Prise de tête !

Et Ginette lui répond :

– Mais non, pas du tout, seulement ils se parlent avec des gestes ! Alors maman a dit à Papa « va me chercher la salade », et papa lui a répondu « ça me fait chier, je préfère aller à la pêche ».

☆

Une fois par an, Maurice va voir le docteur Jacquot. Il lui regarde tout, les yeux, le nez, la gorge, et à la fin de l'examen il lui dit :

– Très bieeeen ! Voyons les muscles, les réflexes...Impeccable ! Bon, maintenant, dites trente-trois !

– Je vous le fait à trente-deux, c'est bon ?

– Rien à dire, vous me semblez en parfaite santé. Mais tout de même, est-ce que je pourrais quand même voir vos organes génitaux ?

Le docteur Jacquot jette un coup d'œil et dit :

– Écoutez ! Vous êtes vraiment en pleine forme. On peut même dire que vous avez un très beau trois-pièces cuisine...

– Ben vous savez, docteur, le trois-pièces cuisine, c'est comme le reste du corps, il faut l'entraîner. Moi, le soir, quand je rentre chez moi, je regarde s'il n'y a personne dans l'escalier, et puis je tape avec sur la rampe pendant cinq minutes... Croyez-moi, il n'y a rien de mieux !

– Intéressant ! Très intéressant !

Et le soir, en rentrant chez lui, juste devant sa porte, le docteur Jacquot se dit :

– Tiens, il n'y a personne dans l'escalier... Si j'essayais de faire comme mon client !

Le voilà qui sort son trois-pièces cuisine, et toc-toc-toc. Et juste à ce moment-là, derrière sa porte, il y a la femme du docteur Jacquot qui dit :

– C'est toi, Maurice ?

☆

Une histoire d'animaux. Ça se passe dans le marais poitevin au mois d'août, et c'est un petit lapin albinos qui heurte une énorme couleuvre en sortant de son terrier. Le lapin est très myope, et la couleuvre quasiment aveugle. Alors ils se reniflent puis se tâtent pour se reconnaître et au bout d'un moment la couleuvre fait :

– Grandes oreilles et poils soyeux, pas d'erreur, t'es un lapin.

Et le lapin lui répond :

– Voyons voir ! Toi t'es chauve, t'es froid et t'as pas d'oreilles ! Dis-moi, par hasard, tu serais pas producteur de disques ?

☆

C'est Ginette qui a des problèmes existentiels, alors elle va voir un psychanalyste et lui explique :

– Oh docteur, vous savez, ça va pas. J'ai des phobies. Ça doit venir de mon enfance...

– Eh bien, racontez-moi ça !

– Tenez, un exemple. C'est con, hein ! Ça doit venir de quand j'étais petite, mais dès que j'ai peur, c'est un réflexe, il faut que je suce quelque chose.

À ce moment-là le psychanalyste ouvre sa braguette et lui dit :

– Oh ! Une souris !

☆

C'est Bernard Tapie qui a décidé de créer une équipe de natation olympique marseillaise. Un matin, un manchot se présente et lui dit :

– Bonjour, je viens pour m'inscrire dans l'équipe.

Un peu gêné, Tapie lui fait :

– Ben vous savez, c'est pas pour dire, mais sans les bras vous devez pas battre des records...

– Et pourtant, j'ai déjà gagné un concours de natation. Regardez dans mon veston, vous trouverez ma médaille.

– Bon, ben écoutez ! Foutez-vous à l'eau si vous y tenez, on va toujours vous chronométrer...

Le manchot se fout à l'eau, et évidemment il met trois heures à traverser le bassin. Alors Tapie lui dit :

– Bon bah je sais pas ce que vous valez au foot, mais pour la natation...

– C'est de vot' faute ! Vous m'avez collé un bonnet de bain, alors moi j'ai pas pu agiter les oreilles !

☆

Guytou s'est disputé avec Jean-Xavier, et du coup il est parti tout seul se faire un safari au Kenya. Un jour, en pleine savane, il se retrouve au bord d'une espèce d'immense rivière et il y fait son petit pipi. À ce moment-là il y a un éléphant qui passe et qui fait :

– Ben dis donc, c'est avec ça que tu manges ?

☆

Ça se passe en 40, trois jours après que les Allemands ont envahi la France. Pour autant, madame Grinder et madame Saillard ne changent rien à leurs petites habitudes. Juste après la messe, pour commencer, elles s'offrent un apéritif : un doigt de porto avec un biscuit trempé dedans, le tout en écoutant la TSF. Et puis madame Grinder dit à madame Saillard :

– Si nous passions à tablech ? Vous allez vous régalerch, je ne vous dis que ça ! Je vous ai fait une vieille recette que m'avait apprise ma tante Lucette quand j'étais petite. Ma tante Lucette était cantinière au couvent des bénédictinesch, c'est vous dire...

– Vous en dites trop ou pas assez, madame Grinder : c'est quoi, cette recette ?

– Le pigeon lardé aux fèves.

– Oh j'en ai entendu parler ! Comment vous le préparez ?

– Premièrementch, il faut évider les fèves une par une. Puis gratter les lardonsch. Faire revenir dans un léger court-bouillonch au xérès dans lequel on fait d'abord mijoter, dans un premier temps, les cuisses du pigeonch. Ensuite, quand ça commence à frémir, on met le reste du corps... Tenez, goûtezch, vous m'en direz des nouvelles...

Alors madame Saillard attaque le pigeon, mais comme elle doit mâcher un bon quart d'heure avant d'en avaler la première bouchée, elle finit par dire à madame Grinder :

– Dites, c'est très bon, mais vous êtes sûre que vous l'avez fait assez cuire, ma bonne amie ?

– Pourquoi ?

– Eh bien, je ne sais pas... Il me paraît quand même un peu dur, ce pigeon. Ou alors je ne sais pas...

– Écoutez, je ne comprends pas. C'est mon marich qui l'a lui-même abattu, il n'y a pas quatre jours, avec sa carabine à plombch !

– C'était peut-être un pigeon voyageur ? Oh mais justement, regardez, il a une bague ! Même qu'il y a un message dedans !

– Ah bon ? Et qu'est-ce qui est écrit ?

– « Demain, les Allemands attaquent. »

☆

Un monsieur est chez lui en train de se raser quand on sonne à sa porte :

– Bonjour, c'est pour un sondage BVA !

– Vous ne voyez pas que je suis en train de me raser, non ? Qu'est-ce qu'il y a ?

– Écoutez, monsieur ! Juste une petite question : est-ce que vous êtes pour l'amour avant le mariage ?

Et le mec lui répond :

– Ah non, non ! Ça retarde la cérémonie !

☆

Ça se passe dans un bistrot, et c'est deux poivrots qui se font des confidences :

– Moi, j'aime bien les grandes blondes et tout. Parce que je suis petit et brun. Alors les grandes blondes, ça me change un peu. Et puis ça fait distingué. Et vous, qu'est-ce que vous aimez, comme genre de femmes ?

– Eh bien moi, écoutez, je vais peut-être vous surprendre. Moi les femmes, je les aime petites.

– Non, ça me surprend pas. C'est charmant, une femme petite !

– Oui, mais je les aime petites et avec la tête carrée.

– Avec la tête carrée ? Comment ça, carrée ?

– Comme un carré. Petites avec la tête carrée. Je vais vous expliquer pourquoi : parce que quand elles sont petites, vu que je suis grand, bien souvent elles sont juste à la hauteur pour euh... enfin, euh...

– Je comprends, mais la tête carrée, c'est pour quoi faire ?

– C'est pour poser mon verre !

☆

C'est Alain Decaux qui fait une conférence sur Napoléon à la salle Pleyel :

– L'Empereur, se rendant compte que son dernier jour est arrivé, fait son testament...

Et puis il raconte tout, son agonie, ses derniers mots, sa mort. C'est passionnant. Au bout d'un moment, Decaux conclut :

– Ce n'est que beaucoup plus tard, des années après, que l'on fera revenir les cendres de l'Empereur.

Et là il y a un Belge qui dit à sa femme :

– Je ne savais pas qu'il était mort dans un incendie, une fois !

☆

C'est Bernard Tapie qui dit à l'un de ses sous-directeurs :

– Amenez-moi Lambert ! Faites-moi vite venir ce connard de Lambert. Et magnez-vous un peu, j'ai pas que ça à foutre !

Deux minutes après, Lambert arrive dans le bureau et Tapie lui dit :

– Ah, mon petit Lambert, j'ai une bonne nouvelle pour vous. Vous vous plaignez que vous ne gagnez pas assez dans notre succursale à Paris. Alors voilà, comme je viens d'ouvrir une autre boîte au Brésil, je vous envoie à Rio comme directeur d'agence !

– À Rio de Janeiro ? Au Brésil ?

– Ben oui, ça ne vous fait pas plaisir ?

– Bah vous savez, il paraît qu'au Brésil, il n'y a que des putes et des footballeurs.

– Faites gaffe, mon petit Lambert ! Je vous signale que ma femme est brésilienne !

– Aaah ! Et dans quelle équipe elle joue ?

C'est Ginette et Jean-Loup. Depuis qu'ils se sont mariés, ils n'ont que des problèmes. Chez eux, rien ne marche : les robinets fuient, la baignoire est bouchée, le clapet du bidet se coince, l'armoire est bancale. Un jour, Jean-Loup en a ras le bol :

– Oh merde ! Foutu appart'. Ça commence à me prendre la tête, ces conneries !

Et Ginette lui répond :

– Qu'est-ce qu'on peut y faire, mon chéri ? Parce que les plombiers sont trop chers et en plus ils ne viennent jamais aow ! Comment on pourrait faire ?

– Attends ! En allant au boulot je vais passer chez Maurice, mon pote ! Il est vachement bricoleur !

De fait, il passe chez Maurice et lui explique :

– Dis, tu pourrais pas aller chez moi voir ce que tu peux faire, il y a des trucs qui déconnent : le robinet, le bidet, la baignoire et tout...

– Pas de problème ! Tu rigoles, ta, les doigts dans le nez j' te fais ça ! Seulement, comment je vais rentrer chez toi ?

– T'occupe, y a ma femme à la maison !

– Ah ouais c'est vrai ! Alors j'y vais !

Maurice y va, répare tout, impeccable ! C'est vrai qu'il est très bricoleur et qu'il sait tout faire de ses dix doigts... Au point que le soir, en rentrant chez lui, Jean-Loup ne peut que constater :

– Ah ! la la ! La baignoire fuit plus ! Et le clapet du bidet, toc, toc, toc, le robinet d'eau chaude et d'eau froide ! Super ! Putain, c'est un bon, le Maurice ! Mais au fait, il t'a demandé du pognon ?

– Non, non, quand je lui ai demandé comment je pourrais le payer, aow, il m'a dit : « Écoutez, ou vous me faites un gâteau, ou on fait l'amour ! »

– Oh le con ! Oh qu'il est con ! Et qu'est-ce que vous avez fait ?

– Ce qu'on a fait... Imbécile... Tu le sais bien : tu n'as qu'à pas dire à tes copains que je suis mauvaise pâtissière !

☆

De temps en temps, pour se détendre et se changer les idées, le docteur Jacquot prend sa voiture et file au bord de la mer, par exemple à Deauville. Un jour, comme ça, il entre au bar du Normandie et fait :

– Un gin !

Et derrière lui, il y a cent mecs qui s'écrient :

– Quelle taille ? Quelle taille ?

☆

Du temps de l'Occupation, Eugène Poulossière allait de temps en temps à Toulouse vendre un cochon ou un veau et en profitait pour faire quelques emplettes. Un jour, comme il était arrivé à la gare de Toulouse avec une bonne heure d'avance sur le train qui devait le reconduire à Sainte-Julie-du-Poitou, il prit le temps de se taper un super-cassoulet au buffet. Puis le train entra en gare et Eugène monta dans un compartiment où trois officiers allemands avaient déjà pris place.

Le train démarre, et là, le cassoulet commence à lui travailler la boyasse : au bout d'un moment, n'y tenant plus, Eugène Poulossière lâche un pet, mais un pet !

Et pourtant le voyage continue, les passagers affectant de n'avoir rien entendu. Mais l'Eugène, ça le travaille de plus en plus, et le voilà qui en lâche un deuxième. Cette fois, les Allemands ne peuvent retenir une grimace de dégoût.

Et vlan, là-dessus, Eugène Poulossière se laisse aller une troisième fois. Les Allemands n'en peuvent plus : ils se lèvent et sortent du compartiment avec un mouchoir sur le nez. Alors Eugène Poulossière se tourne vers son voisin et lui dit :

– Qu'est-ce que vous voulez ? On peut pas leur dire qu'ils nous emmerdent, mais on peut toujours leur faire sentir !

☆

En sortant de son usine, un ouvrier voit un vieux Gabin à l'affiche du cinéma. Du coup, il décide d'aller chercher sa femme et de s'offrir avec elle la prochaine séance. En chemin, une péripa... une péripé... bref une fille qui fait le tapin l'aborde et lui dit :

– Alors, tu viens, mon loup ?

– Bah j' dis pas non, mais j'ai que deux cents balles sur moi. Qu'est-ce que vous pouvez me faire, pour deux cents balles ?

– Nib de nib ! Tu rigoles, ou quoi ? C'est pas le jour des soldes, et moi je bosse pas au rabais ! Va te faire voir chez les Grecs !

L'ouvrier continue son chemin, va chercher sa femme et repasse avec elle dans la rue où il a été abordé par une fille. D'ailleurs la fille est toujours là, et les voyant ensemble elle lance à sa femme :

– Alors comme ça, tu vas avec ce con-là pour deux cents balles ?

☆

C'est un vieux touriste allemand qui se promène en France dans sa Mercedes flambant neuve :

– Oh ! Frankreich, schön !

Tout à coup, au détour d'une petite route, il tombe sur une carriole tirée par un âne : c'est Eugène Poulossière qui conduit un mouton à la foire agricole de Sainte-Julie-du-Poitou. Évidemment, il bloque toute la route. L'Allemand s'impatiente, klaxonne et finit par s'écrier :

– Schnell ! Raoust, schnell !

En se retournant pour dire merde à l'Allemand, Eugène Poulossière perd le contrôle de la carriole qui verse dans le fossé, et l'âne se casse une patte. L'Allemand, qui est un sentimental, attrape dans la boîte à gants son Lüger de la dernière guerre, descend de sa voiture et dit :

– Ach, gross malheur ! Paufre bête, je fais l'abattre pour lui éfiter de souvrir.

Pan ! Pan ! L'âne est tué.

Puis l'Allemand remarque que le mouton d'Eugène Poulossière a deux pattes blessées et ajoute :

– Oh, paufre petite mouton ! Je fais lui éfiter des souvrances inutiles !

Et il le tue. Là-dessus, Eugène Poulossière qui lui aussi, en tombant dans le fossé, s'est cassé les deux jambes et un bras, fait un grand sourire à l'Allemand et lui dit :

– C'est rien, juste une égratignure !

☆

C'est Ginette qui participe à un jeu télévisé. Alors elle monte sur le podium et Guy Lux lui dit :

– Attention ! Première question, c'est très important. Je vous rappelle que la première question, c'est celle qui précédera la seconde si mes notes sont exactes. Première question donc, attention concentrez-vous : comment s'appelait la première femme de l'histoire de l'humanité ?

– Oh ! la la ! Oh ! Celle qui a le même prénom que Ruggieri aoww ! Ève !

– Bonne réponse ! Attention, attention ! Deuxième question : comment s'appelait le premier homme de l'humanité ?

– Oh ! la la ! Roch Voisine ? Euh non ! Adam !

– Oui, bravo ! Maintenant attention, deux bonnes réponses mais vous remettez tout en jeu. Voici la troisième question, vous ne prenez pas de joker ?

– Non, non !

– Quand Adam a rencontré Ève pour la première fois, que lui a-t-il dit ?

– Oh je le savais, je le savais ! Oh, c'est dur !

– Bonne réponse !

☆

C'est Ginette qui s'est mariée. Le lendemain de sa nuit de noces, toute gaie, elle descend à la salle à manger, retrouve toute sa famille et dit :

– Oh ! la la ! Maman, quel panard, aow... C'était super : on a tiré quatre coups !

Alors sa mère lui fait :

– Faut pas dire ça, ma chériech ! Quand il y a du monde, t'as qu'à dire « on a mangé quatre sardines », c'est plus élégant !

– Ah bon, excuse-moi...

Le lendemain, Ginette redescend et dit :

– Mamaaaan !

– Qu'est-ce qu'il y a, ma chérie ?

– J'ai encore mangé quatre sardines : Jean-Loup a trouvé ça tellement bon qu'il a léché la boîte et moi j'ai sucé la clé !

☆

148

Les Belges sont persuadés d'être bisexuels. Pourquoi ? Parce qu'ils font l'amour deux fois par mois !

☆

C'est trois explorateurs qui arrivent en Amérique peu après que Christophe Colomb l'ait découverte. Deux aristocrates français font partie de l'expédition : Hugues Valmont de La Roche Percée et Valéry du Fermoir de Monsac. Et un noble belge les accompagne : Hubert de La Fritencoin. Ils sont là, en train d'explorer l'embouchure du fleuve Saint-Laurent, quand soudain le Belge s'exclame :

– Je ne sais pas si vous êtes comme moi, une fois, mais j'entends des cris de mauvais augure, là hein !

Et effectivement on entend des hurlements sauvages qui se rapprochent :

– Ouououou ! Aaaaaah ! Oua, oua !

Trente secondes après, les trois explorateurs se retrouvent encerclés par des Indiens sans comprendre ce qu'il leur arrive. Toute une tribu leur tombe dessus d'un air menaçant, et le Belge fait :

– Ça m'étonnerait que ce soit un chant de bienvenue, hein ! Ils ont pas l'air content ! Regardez, ils ont les plumes qui se dressent sur la tête !

Tout à coup, le chef des Indiens s'avance et dit :

– Vous être écorchés vifs !

– Ça commence bien... soupire le Belge.

– Vous être écorchés vifs mais avant nous vous donner une chance : vous demander objet, et si nous pas trouver objet, vous avoir la vie sauve. Si nous trouver objet, vous écorchés vifs, et nous avec peau faire canoë!

Alors, affichant un grand sourire, Hugues Valmont de La Roche Percée demande à l'Indien :

– Mon brave, veuillez donc m'apporter une bouteille de madère 1541 avec un verre de cristal pour déguster.

– Pas de problème !

Le chef fouille dans un sac, sort la bouteille de madère et le verre, et aussitôt Hugues Valmont de La Roche Percée est écorché vif, on tend sa peau et on en fait un canoë.

Là-dessus, Valéry du Fermoir de Monsac :

– Eh bien, puisque vous êtes si fort, vous allez me montrer l'original du tableau de Delacroix qui représente sainte Blandine offrant la moitié d'un abricot à un lépreux !

Le chef fouille dans son sac et lui sort l'original du tableau de Delacroix. Écorché vif, on lui tend la peau et on en fait un canoë. Arrive le tour du Belge :

– Bon d'accord, c'est mon tour, hein ? Alors moi, je vais vous demander une fourchette !

– Vous êtes sûr ?

– Oui, pouvez-vous me donner une fourchette ?

– Rien de plus facile à trouver !

– Je m'en fous, donnez-moi une fourchette !

– Très bien, tenez !

Le chef lui tend une fourchette, Hubert de La Fritencoin la prend, se troue le ventre avec et fait :

– Maintenant, t'as pas l'air d'un con, avec ton canoë troué !

☆

C'est un Suisse qui s'inscrit dans une école de parachutisme et le moniteur lui dit :

– Une fois en l'air, vous êtes sûr que vous n'aurez pas peur ?

– Non, nooooon ! Je veux le faiiiire, j'ai la volontééééé !

– Très bien, alors montez dans l'avion. Vous sauterez quand on vous dira d'y aller. Et une fois que vous tombez, vous comptez jusqu'à cinq, là vous tirez sur la manette et le parachute s'ouvrira.

– Ah ben d'accoooord ! C'est pas sorcieeeer, c'est pas compliquééééé !

L'avion s'envole, le mec saute et s'écrase au sol comme une merde. Tout le monde se précipite, et là ils entendent le Suisse qui continue de faire :

– Quatre... Cinq...

☆

C'est madame Grinder qui rencontre madame Saillard et qui lui demande :

– Comment va votre marich ?

– Oh vous savez, en ce moment, il baisse beaucoup...

– Il est toujours aussi sourdch ?

– Ben oui, toujours autant...

– Et il utilise toujours son cornet acoustique ?

– Ne m'en parlez pas. Il le garde même pour aller faire pipi.

– Ah tiens ? Ça c'est curieux !

– Non, ce n'est pas curieux. Il a tellement la tremblote qu'il l'utilise comme entonnoir !

☆

Ginette est à la veille de se marier, et sa grand-mère, madame Grinder, a décidé de prendre son éducation en main :

– Ma chériech... Tu vas bientôt convolerch...

– Pourquoi tu dis ça, j'ai rien pris aow ?

– Mais non ! Quelle est niaise ! Je veux dire que tu vas prendre épouxch ! Donc, il faut que je te mette au courant de certaines choses concernant l'acte de chairch.

– Ah oui...

– Alors voilà, c'est très important, l'acte de chairch... Parce qu'une femme qui se marie doit savoir faire plaisir à son mari. Et il ne faut pas que ce soit un devoir pour elle, il faut que ce soit un plaisirch. Il faut y apporter de la fantaisiech, des fioritures. Par exemple, il faut savoir de temps en temps faire une petite gâterie à son marich...

– Tu veux dire qu'il faut que j' lui fasse une pâtisserie, une tarte, une quiche ?

– Mais non, une gâterie ! C'est-à-dire que tu dois savoir... Dieu qu'elle est niaise ! Je ne sais pas, moi... lui tutoyer l'asperge...

– Comment on fait, aoww ?

– Ben, je vais t'expliquer... mais il faut que je fasse appel à mes souvenirs. Moi, la dernière fois, c'était juste avant l'attaque de Verdunch... Ce qui est important, tu vois, c'est la position de la bouche. Mentalementch, tu dois t'imaginer que tu dis Honolulu !

– Honolulu ?

Alors Ginette se marie, tout ça, impeccable. Et le lendemain de la nuit de noces, il y a sa grand-mère qui arrive et qui lui demande :

– Alors, tu as fait ce que je t'ai ditch ? Où il est, ton marich ?

– Bah, il ne se sent pas bien du tout !

– Comment ça ? Qu'est-ce qui lui est arrivéch ?

– Ben j'ai essayé ce que tu m'as dit, aoww !

– Et alors ?

– Alors il est à l'hôpital.

– Mais qu'est-ce que tu as faitch ?

– Je ne me rappelais plus le nom de la ville. Alors j'ai pris celui de ma ville natale et j'ai fait Carcassonne !

☆

Ça se passe en Afrique. Un avion qui avait des problèmes a été obligé de se poser en pleine savane. Et dans l'avion, il y avait Michel Boujenah qui partait en tournée.

Alors voilà, Michel Boujenah va faire quelques pas dehors et tombe nez à nez avec un lion. Il veut retourner dans l'avion mais deux autres lions lui barrent la route. Et puis là-dessus, trois autres lions arrivent. Et puis quatre. Le Boujenah, il ne sait plus où se mettre :

– Maman ! Ils vont me manger ! Qu'est-ce que je pourrais faire ? Tiens, je vais leur raconter une histoire drôle. Peut-être que ça va les occuper.

Et hop, le voilà qui commence son numéro devant les lions :

– Attendez, attendez ! C'est l'histoire d'une dame qui va faire son marché...

Et ça marche : effectivement, les lions s'assoient en rond autour de lui et rigolent. Mais dès qu'il s'arrête, les lions se mettent à rugir. Alors il enfile histoire sur histoire, ça dure une heure, deux heures, trois heures...

À un moment, un vieux lion arrive, se jette sur Boujenah, se le bouffe en plein milieu d'une histoire, et les autres lions lui disent :

– T'es con, on se marrait bien avec ce mec-là. Il racontait des histoires drôles !

Et le vieux fait :

– Hein ? Comment ? Qu'est-ce que vous dites ?

☆

C'est un mec qui sort de prison. Ça fait quinze ans qu'il n'a pas mis le pied dehors, et puis bien sûr, ça fait également quinze ans qu'il n'a pas fait crac-crac biscotte ! Alors à peine sorti, il fouille dans ses poches et se dit :

– Il me reste un petit pécule... Le premier truc que je vais faire, je vais au bois de Boulogne ! Et alors là...

Et hop il va au bois de Boulogne, il tombe sur une péripé... une péripaté... une pute, quoi ! et il lui fait :

155

– Bon alors voilà, ce serait pour m'offrir une petite gâterie.

– Ben tout c' que tu voudras, mon loup ! Vas-y, déballe ton matériel !

Très professionnelle, la fille commence à lui tutoyer l'asperge, et une fois que c'est fini, le type se met à gueuler :

– T'as pas honte ! Tu craches du quinze ans d'âge !

☆

Eugène et Fernande Poulossière ont deux filles jumelles : Ginette et Zézette. Un jour, il y a Jean-Loup qui se marie avec Ginette. Mais les sœurs jumelles sont farceuses, et le soir de ses noces Zézette dit à Ginette :

– Écoute, aoww ! Ce soir, je me cache dans ta salle de bains. À un moment tu viendras, je prendrai ta place et il n'y verra rien du tout ! T'en penses quoi ?

– Oh ben si tu veux, aoww !

Le lendemain matin, Jean-Loup descend voir son beau-père et lui fait :

– Oh bah ça ! Oh putain, il y a un truc, alors là... Ah non, je ne comprends pas ! Votre fille...

– Ben quoi, ma fille ?

– Ah j' comprends pas... Oh putain, je suis crevé. Votre fille avait deux pucelages !

Et d'un air philosophe, l'Eugène de lui répondre :

– Ah ben sa mère en avait pas, ça doit sauter une génération !

☆

Vous savez qu'en Grande-Bretagne, ils ont un corps d'élite : les fameux Horse Guards. C'est la garde personnelle de la reine. D'ailleurs c'est très dur d'être Horse Guard, parce qu'il ne faut jamais réagir : quand la Reine passe, il faut qu'ils restent immobiles comme des statues. Ils n'ont même pas le droit de se gratter quand ça les démange, c'est très sévèrement puni. Un jour, il y a la reine Elizabeth qui sort de Buckingham en calèche. Et là, il y a deux Horse Guards. Au moment où elle passe devant eux, il y en a un qui fait :

– Ouououaaaa !

Cinq minutes plus tard, le mec est convoqué par le colonel des Horse Guards qui lui dit :

– Vous vous rendez compte ? Quand la reine est passée, vous avez fait une espèce de gesticulation absolument inadmissible ! Mais qu'est-ce qui vous a pris ?

– Écoutez, Sir ! Je vous vais expliquer. Voilà, j'étais en train de monter mon garde. J'attendais que le Queen elle passe. À ce moment-là, sortant de les jardins de Buckingham, j'ai vu arriver une petite écureuil qui s'est posé sur mon droit soulier...

– Et alors ?

– Attendez, Sir ! Après deux secondes, une deuxième écureuil s'est posé sur mon gauche soulier...

– Mais ce n'est pas une raison pour faire « ouououaaa » quand la reine passe !

– Non, ce n'est pas ça, Sir. Ils sont grimpés tous les deux le long de mon jambe de pantalon. D'abord, je n'ai pas bougé.

– Et qu'est-ce qui vous a fait changer d'avis ?

– Parce qu'à un moment, il y en a un qui a dit à l'autre : « Moi, je serais d'avis qu'on les lui bouffe tout de suite. »

☆

C'est un monsieur qui n'est pas en forme du tout, alors il va voir le docteur Jacquot et lui dit :

– Oh ! Je ne sais pas ce que j'ai, je me lève le matin, je suis crevé. Toute la journée je me traîne, et le soir je m'endors devant la télé. J'en peux plus, vous comprenez...

– Écouteeeez ! Je vais vous examineeer ! Est-ce que vous mangez raisonnablement ?

– Oh ça va ! Je ne fais pas trop d'excès.

– Vous buvez raisonnablement ?

– Oui, de ce côté-là, pas de problème...

– Bon, et sur le plan zizi pan-pan, crac-crac biscotte ?

– Ben je suis marié. J'ai ma femme. Mais ce n'est pas tout... Surtout, docteur, ne le répétez pas... en plus j'ai une maîtresse. Ça dure d'ailleurs depuis quelques années. Et puis l'autre jour, elle m'a présenté sa sœur. Alors figurez-vous que maintenant j'ai deux maî- tresses, puisque je me tape aussi la sœur. D'autre part, il se trouve que ma femme a engagé une petite étudiante pour faire le ménage. Je dois lui plaire, ce qui fait que trois ou quatre fois par semaine je me tape la bonne. Enfin... comment dire ? Je crois que je suis un petit peu bisexuel, parce que de temps en temps je m'envoie aussi le jardinier portugais.

Le docteur Jacquot fait :

– Mais mon pauvre ami, c'est normal ! Votre femme, deux maîtresses, la bonne, le jardinier. Vous êtes crevé. C'est simplement de la fatigue !

– Ah bon, vous voyez, vous me rassurez : j'ai cru que c'était la masturbation !

☆

Ça se passe en Afrique. C'est deux indigènes, deux vieux sorciers bantous qui discutent ensemble et il y en a un qui fait :

– Je connais la jungle, je connais la savane, je connais tout... Ouh la la, j'en ai vu des animaux, hein ! Des grands, des petits ! Des gentils, et des méchants ! Eh bien justement, tu sais lequel est le plus méchant ?

– Non !

– C'est le crocolion !

– Qu'est-ce que c'est que cette connerie de crocolion que je ne connais pas ?

– Attends, je vais te dire ! Le crocolion c'est un animal très méchant parce qu'il a une tête de lion, et à la place de la queue il a une tête de crocodile.

L'autre fait :

– Si je comprends bien, il ne peut pas faire caca.

– Ben non, c'est d'ailleurs pour ça qu'il est très méchant !

☆

Une histoire de cannibales. Un jour, deux explorateurs se font attraper par eux : un Belge et un Français. Le chef les met dans la marmite, toute la tribu bambara se met à danser autour, et pourtant, rien à faire, le Belge se marre. À un moment, un peu agacé, l'explorateur français lui dit :

– Pourquoi tu rigoles ? Je n'vois vraiment pas ce qu'il y a de drôle !

Et le Belge lui répond :

– Ne le dis pas ! Je viens de pisser dans la sauce !

☆

Ça se passe dans un train bondé. Dans un angle du compartiment, il y a un petit garçon qui pleure tout seul dans son coin. Maurice le remarque et lui dit :

– Qu'est-ce qu'il y a, mon p'tit ? Qu'est-ce qu'il y a ? Pourquoi tu pleures ?

Mais le gosse continue de sangloter, alors Jean-Loup s'en mêle :

– M'enfin quoi ? Qu'est-ce qu'il a à chialer, ce môme ?

Là-dessus, le père Favier qui passait par là se penche au-dessus du petit garçon et lui demande :

– Alors, mon enfant, parle ! Qu'as-tu ?

– Je pleure parce que ma maman... ma maman elle a un amant.

Alors Maurice lui fait :

– C'est pas grave, ça ! Tu pleures pour si peu ? Mais putain, c'est rien du tout ! Rien du tout ! La mienne aussi, elle en a même eu plusieurs, et ça ne m'a pas empêché d'être heureux.

Et Jean-Loup ajoute :

– Moi aussi, ma mère elle a eu des amants. Et alors ? Faut pas pleurer pour ça ! C'est rien, ça empêche pas de vivre !

Et le père Favier reprend :

– Je n'en jurerais pas, mais enfin je crois bien me souvenir que lorsque j'étais enfant, ma mère aussi...

Sur ce le gamin sort une clope et demande :

– Et parmi tous ces fils de pute, il n'y en a pas un qui aurait du feu ?

☆

Guytou et Jean-Xavier sont des garçons très indépendants, ils ont des amis, des sorties et des comptes en banque séparés. En plus, ils sont sans complexes. Maintenant, on vit une époque permissive. Les homos sont reconnus et parfaitement introduits. Fini le temps des tabous. Alors voilà, ils vivent ensemble, ils ont acheté un très beau loft, ils ont organisé leur petite vie, bref ils sont bien. En plus, ils sont très complémentaires : Guytou est passionné de loto sportif, et Jean-Xavier de foot.

Ce soir, c'est le match France/Tchécoslovaquie réalisé par Gérard Van Der Guthe, commenté par Thierry Roland et Jean-Michel Larqué. Ils sont allongés sur un grand lit tout en tapisserie cretonne, et Jean-Xavier regarde la retransmission tandis que Guytou fait son loto sportif :

– Alors voyons, voyons ! Auxerre/Roanne ! Bof ! Ça ne va rien donner. Je mets zéro/zéro. Alors qu'est-ce qu'il y a après ? Paris-Saint-Germain contre Monaco ? Je mets match nul.

Et pendant ce temps-là, Jean-Xavier s'excite :

– Mais arrête ! Regarde ! Regarde, c'est Papin qui a la balle. Ces mollets, mon Dieu, ces mollets, et ces inducteurs ! Pourtant, il paraît qu'il souffre d'un récent claquage. Ils n'ont pas précisé où... Moi, si on me confiait le petit Papin, je te garantis que je sais bien de quel genre de claquage il souffrirait !

Tout à coup Guytou dit à Jean-Xavier :

– Mais tu te calmes ? Tu te calmes ? Je n'arrive pas à faire mon loto ! Vraiment, ce que tu peux être chiant ! Bon... St-Étienne / Amiens.... Allez, je mets un/zéro.

– Et Waddles ! reprend Jean-Xavier. Pourquoi il joue pas, ce Waddles ? Qu'il est beau, ce mec, avec ses cheveux en brosse ! Oh, Waddles dans mon lit, ça c'est mon rêve ! Les cheveux en brosse, ça doit faire froute-froute sur le ventre ! Ah ! Aaaah ! Regarde, c'est Boli, c'est Boli, c'est Boli ! C'est Boli, je pars, je pars, je pars !

Là-dessus, Guytou en a vraiment marre et lui fait :

– Ah oui, tu pars ?

Il lui plante le stylo dans le derrière et il ajoute :

– Tiens, tu m'écriras !

☆

Madame Grinder est en train de faire sa vaisselle quand, soudain, on sonne à sa porte. Vite elle va ouvrir, et elle tombe devant deux petits garçons noirs comme des Sénégalais.

– Bonjour Mamie ! fait l'un.

– Tiens des immigrésch ! Qu'est-ce que vous m'voulezch ?

L'autre petit garçon s'avance et lui répond :

– C'est nous, Mémé ! On est restés trop longtemps au soleil !

☆

Ça se passe en Belgique un jour de pluie. Une dame promène son landau dans un square. Tout à coup, elle croise madame Grinder qui se penche au-dessus de la voiture d'enfant et qui fait :

– Mais, mais dites-moich ! Votre bébé, il est en plastique ? Il est en celluloïd ?

Et la maman belge de lui répondre :

– Avec le temps qui fait, vous croyez pas que je vais sortir le vrai, une fois ?

C'est Ginette et Jean-Loup qui envisagent de faire un enfant. Un soir, Ginette dit à son mec :

– C'est vraiment môche le monde actuel, je veux dire il y a des guerres partout, c'est pas drôle de mettre un môme au monde alors qu'il n'y a plus de mur à Berlin, qu'il y a les maladies, le chômage, tout ça... Mais tu comprends, c'est quand même un message d'amour et d'optimisme, aowww !

– Mais qu'est-ce que t'as à te prendre la tête, ta, ta ? lui répond Jean-Loup. T'es con, ta, ou quoi ?

Bref, neuf mois après Ginette accouche à la clinique des Lilas, en Seine-Saint-Denis, et c'est le docteur Jacquot qui s'occupe d'elle :

– Écouteeeez ! Pousseeeez ! Allez-y ! Soyez courageuse !

Très impressionné, Jean-Loup est là. Il tient la main de Ginette et lui dit :

– Oh, j'ai des remords ! Oh ma chérie ! Quand je pense que c'est à cause de moi que tu es en train de souffrir comme ça...

– Mais non, mon amour, ne t'en fais pas : tu n'y es pour rien du tout !

☆

C'est dans un bar. Il y a un mec qui est ivre mort. Il se penche vers son voisin et dit :

– Pardon ! Excusez-moi, mais ma braguette, elle est ouverte ou fermée ?

Le mec se penche et lui fait :

– Ben elle est fermée !

– Bof ! Tant pis, je pisse quand même !

☆

Depuis quelque temps, Ginette se sent de plus en plus patraque. C'est vrai... Ça la prend le soir, les sueurs et tout ! Une espèce de sueur froide avec un grand vide, comme une sensation de vertige... Alors elle va voir le docteur Jacquot et lui explique :

– Oh ! la la ! aowww ! Docteur, je sais pas ce que j'ai, aoww, mais putain, je flippe ! Déjà, le matin, je ne suis pas dans mon assiette ! À midi il n'y a plus d'assiette, et le soir je ne sais plus où j'en suis.

– Écouteeez ! Je vais vous examineeer !

Il lui fait une radio, l'ausculte, la fait tousser plusieurs fois... Au bout d'un moment, Ginette finit par s'impatienter :

– Bon, docteur, dites-moi ce que j'ai ?

– Écouteeez ! C'est difficile à dire...

166

– Je n'ai pas peur de la vérité, je m'y suis préparée, aow! J'ai lu toute une série d'articles dans *Biba*, aoww! Ça s'appelait « Affrontez la vérité, vous vous porterez mieux ». Alors voilà, je suis prête.

– Écouteeez, vraiment, c'est très difficile à dire...

– Non, non, docteur! Ne vous dérobez pas! Dites-moi la vérité!

– Eh ben vous souffrez d'une hypor... d'une hoper... Putain, je vous l'avais pourtant dit que c'était difficile à dire!

☆

Une toute petite roucasserie. C'est un berger qui entre dans un sex-shop et qui fait :

– Bonjour madame! Vous avez des chèvres gonflables?

☆

C'est un monsieur qui passe la frontière italienne et le douanier lui fait :

– Arrêtez-vous là! Garez-vous là s'il vous plaît!

– Qu'est-ce que j'ai fait?

– Vous avez de l'alcool?

– Non!

– Vous avez des armes ?
– Non plus !
– Vous avez de la drogue ?
– Mais non !
– Vous en voulez ?

☆

C'est l'histoire d'un Corse qui passe la frontière italienne et le douanier lui fait :

– Ouvrez-moi le coffre arrière !

Le mec ouvre et il y a une chèvre dedans.

– Qu'est-ce que c'est, ça ? C'est une chèvre ?

– Non, c'est mon chien !

– Eh, dites, vous vous foutez de ma gueule ? Il a des cornes !

– Moi, vous savez, sa vie privée...

☆

C'est deux Marseillais qui discutent et il y en un qui dit à l'autre :

– Tu ne voudrais pas me racheter ma villa ?

– Ah ça non, je ne vais pas te racheter ta villa, elle est humide.

– Justement, je te la vends mille francs le litre !

☆

C'est un Belge qui veut prendre l'avion à Roissy mais il a un gros problème : il ressemble à un terroriste international. Alors évidemment, il se fait serrer par les douaniers qui lui disent :

– Veuillez nous suivre, s'il vous plaît ! Venez voir par là ! Alors voilà, nous vous avons reconnu, vous êtes Mustapha Cossen, terroriste international !

– Mais justement, pas du tout ! Je suis Albert Vandermens, négociant à Antwerpen. Vous rigolez, non ! J'ai mes papiers, moi ! Tenez, regardez mon passeport !

– Vous savez les papiers, on peut en avoir des faux. D'après la photo, vous êtes Mustapha Cossen.

– Mais pas du tout, une fois, puisque je vous dis que je suis citoyen belge !

– C'est ce qu'on va voir ! Puisque vous persistez, on va vous faire passer des tests pour vérifier que vous êtes belge. Par exemple, si je vous dis vingt-deux, ça vous fait penser à quoi ?

– Vingt-deux ? Comme ils disent en France, c'est « vingt-deux, v' là les flics ! ». C'est la police, quoi !

– Ouais ! Et si je vous dis trente-trois ?

– Trente-trois ? C'est chez le docteur, quand il vous ausculte, il vous demande de dire trente-trois....

170

Le douanier rigole et fait :

– Très bien. Et maintenant, si je vous dis soixante-neuf ?

– Ah, soixante-neuf, c'est l'année où Eddy Merckx a gagné le tour !

– Vous pouvez y aller ! Vous êtes belge, une fois !

☆

Ginette et Josy se sont donné rendez-vous dans un petit bistrot des Halles et Josy demande à Ginette :

– Et les amours, comment ça va ?

– Oh dis donc ! Je ne sais pas aoww !

– C'est con ! Mais pourquoi tu sais pas ?

– Écoute, je vais te dire un truc, aow, tu vas voir... Eh bien voilà, figure-toi que je viens tout juste de me fiancer !

– C'est génial ! Tu aurais dû me le dire plus tôt ! Mais alors je ne te comprends pas : du côté des amours, ça va donc très bien !

– D'une certaine façon oui... Seulement, si tu veux, y a un problème, aow ! Parce que pour le mariage, aow, c'est encore loin d'être fait... Il y a des problèmes du côté de sa famille.

– Ah bon ? Et quel genre de problèmes ?

– Ben sa femme n'est pas d'accord !

☆

Ça se passe dans la savane africaine, au bord d'un marigot. Là, il y a un magnifique éléphant femelle, mais alors un énorme éléphant femelle qui est en train de boire quand tout à coup un petit mulot, mais alors un tout petit mulot (on va l'appeler Nicolas, Nicolas Mulot), arrive au bord du marigot et lui dit :

– Bonjour, bonjour, madame l'éléphant ! Dites, sans vous déranger, est-ce que je peux vous demander un petit service ?

– Qu'est-ce que c'est ?

– Écoutez, voilà : j'ai toujours rêvé d'avoir des rapports sexuels avec une femelle éléphant. Seulement, je n'en ai jamais trouvé une qui soit d'accord.

Alors l'éléphante lui répond :

– Mais mon p'tit bonhomme ! Comment veux-tu ? Ce n'est pas possible !

– Je ne sais pas, moi ! On pourrait toujours essayer ! Ça me ferait tellement plaisir, vous comprenez...

– Bof ! Bon, bah allons-y ! T'as qu'à grimper le long de ma queue. Arrivé en haut, tu seras à hauteur, et tu te démerdes. Moi je bouffe, hein !

Alors Nicolas Mulot monte, s'installe, et commence son petit travail. Évidemment, la femelle éléphant ne sent rien. D'ailleurs elle s'en fout, elle bouffe et elle boit.

Soudain, un singe farceur vient à passer par là. Il voit la scène, prend une noix de coco puis la balance sur la gueule de la femelle éléphant qui se met à gueuler. Et à ce moment-là, il y a le mulot qui fait :

– Tu jouis, salope !

☆

C'est l'archevêque de Paris, Monseigneur Lustiger, qui arrive à Notre-Dame de Paris. Il entre, et qu'est-ce qu'il voit ? Un couple de Belges en train de forniquer joyeusement.

– Dites, vous n'avez pas honte ? Mais ici, c'est un lieu sacré !

– Oh ben, une fois, c'est la faute du docteur !

– Comment ça, la faute du docteur ?

– Ben oui, voyez-vous, il nous a dit de pratiquer la fécondation in vitraux.

☆

C'est Eugène Poulossière qui, pour l'anniversaire de la Fernande, a été lui acheter un petit cadeau à la ville : une paire de collants.

– La Fernande, il faut que tu mettes ça. À la ville toutes les femmes en mettent. C'est moderne, c'est des collants.

– Mais je n'ai jamais porté des trucs pareils. Comment ça se met ?

– Tu les mets comme ça et puis tu verras, pour aller au labour à six heures dans les champs, ça tient chaud.

– Ah bon ?

La Fernande enfile ses collants et fait :

– C'est curieux, je me sens toute serrée, là-dedans.

Elle part tout de même travailler. Et quand vient le soir, lorsqu'elle rentre à la ferme, Eugène lui demande :

– Alors c'est bien, les collants ?

– Oh, je ne m'y ferai jamais !

– Bah, qu'est-ce qui t'arrive ?

– Ben figure-toi que chaque fois que je pète, je perds mes pantoufles !

☆

C'est un monsieur qui va consulter le docteur Jacquot et qui lui explique :

– Docteur, je viens vous voir parce que j'ai un problème. Seulement, je ne sais pas comment vous le dire !

– Allez-y toujours...

– Non, je vous assure, vous allez vous foutre de moi ! Tous les médecins à qui je le raconte se foutent de ma gueule. Non franchement, je ne sais pas comment vous le dire...

– Écouteeez, allez-y ! Je suis praticien, j'en ai vu d'autres ! Alors parlez ! Soyez en confiance !

– Mais non docteur, vous allez rigoler !

– Je vous promets que je ne rirai pas !

– Ben voilà, docteur ! J'ai un testicule plus gros que l'autre !

– Le cas est banal, ça arrive souvent ! Déshabillez-vous, il n'y a aucun problème, je vais voir ce que je peux faire. Mais rassurez-vous tout de suite, ça arrive souvent qu'on ait une...

Le mec se déboutonne, sort son truc, pose ça sur le bureau du docteur Jacquot qui éclate de rire :

– Ah ah ah ah ah ! Oh oh oh oh oh !

Alors le patient lui fait :

– Vous voyez, je savais que ça vous ferait rire ! Ben puisque c'est comme ça, je ne vous montrerai pas la grosse !

☆

C'est un monsieur qui rentre chez lui en passant par le bois de Boulogne. C'est son chemin. Et qu'est-ce qu'il voit ? Une espèce de manif, une manif organisée par des péripé... des péripaté... bref des putes qui poursuivent des travestis en gueulant :

– Gare à vos gueules ! Vous n'avez pas intérêt à revenir tapiner chez nous, parce qu'ici c'est notre territoire !

Et la manif dégénère bientôt en bataille rangée. Le mec regarde ça consterné et se demande ce qu'il doit faire quand, tout à coup, qu'est-ce qu'il voit ? un CRS en faction à un carrefour. Vite, il va le trouver et lui dit :

– Eh ! M'sieur l'agent ! M'sieur l'agent ! Il y a les pédés qui se battent avec les putes au coin du bois.

Et le CRS de lui répondre :

– Oh mon Dieu ! Pourvu qu'on gagne !

☆

C'est Maurice et sa femme qui ont un enfant surdoué du genre philosophe méditatif. Le seul et unique problème, c'est qu'il ne parle pas. Ça devient gênant, parce qu'il a quand même trente-cinq ans. Bref, Maurice et sa femme sont perplexes.

– Putain, pourquoi il ne parle pas ? Qu'est-ce qui l'empêche de causer ?

Un beau jour néanmoins, on se sait pas ce qui se passe, les mystères de la nature, le gamin est à table en train de finir sa purée mousseline quand tout à coup il regarde ses parents et fait :

– Mémé !

– Putain, il a dit « Mémé » ! s'exclame Maurice.

Le soir même, la Mémé casse la pipe.

– Oh la vache ! se dit Maurice. C'est peut-être une coïncidence !

Le lendemain, le lardon vient de terminer son yaourt Yoplait aux fruits quand soudain on l'entend dire :

– Pépé !

– Putain, il a dit « Pépé » !

Le problème, c'est que dans l'instant même le Pépé a passé l'arme à gauche.

– Ba ba ba ! fait Maurice en se grattant l'occiput, ne sachant trop quoi penser.

Le lendemain midi, le chiard a vidé son assiette de nouilles quand subitement il se met à dire :

– Papa !

– Il ne peut pas fermer sa gueule, celui-là ! s'écrie Maurice, qui n'en mène pas large.

Cinq minutes plus tard, sa femme va promener le chien et revient en annonçant :

– Rassure-toi, mon chéri !

– Quoi, qu'est-ce qu'il y a ?

– Le voisin est mort !

☆

Deux ivrognes sont dans un bar et il y en a un qui dit à l'autre :

– Tu te rappelles, quand on était gosses, on a fait de ces conneries ! On se demande parfois où on allait chercher tout ça !

Et l'autre lui répond :

– T'as raison ! Tiens moi, un jour, je me rappelle qu'on avait attrapé un chat. On lui a fait boire tout un jerricane d'essence. T'aurais vu le chat, mon pote ! Il est parti comme une fusée, cent mètres à fond la caisse, je ne te dis pas le chrono que ça faisait ! On aurait dit Prost sans la queue ! Et puis au bout de cent mètres, il est tombé d'un coup !

– Il était mort ?

– Non, il n'avait plus d'essence !

☆

C'est un monsieur qui va voir le docteur Jacquot et qui lui dit :

– Je viens vous consulter parce que j'ai une grave maladie. J'ai confiance en vous, et je sais qu'il n'y a que vous qui puissiez me guérir.

– Écouteeez ! De quoi s'agit-il ?

– Eh ben il paraît que je fais de la colique mentale !

– Vous pouvez répéter ?

– Je fais... comment dire... de la diarrhée mentale.

– Écouteeez, je ne sais où vous êtes allé chercher ça, mais la diarrhée mentale, ça n'existe pas !

– Mais si, si ! C'est mon patron ! Chaque fois que j'ai une idée il me dit que c'est de la merde, alors vous voyez !

L'histoire d'un parachutiste, un dur, un vrai, un balèze qui est en permission à Paris. Il arrive rue Saint-Denis, il se choisit une péripa... une péripé... bref une pute, quoi, il monte dans la chambre avec elle et elle lui fait :

– Bon ! On y va, mon loup ? Déshabille-toi !

Le mec se déshabille, et là elle s'aperçoit qu'il s'est tatoué OAS sur la zigounette.

– Quelle horreur ! s'écrie la fille. OAS ? Mais tu fais de la politique ?

– Mais pas du tout ! Ça veut dire organe à sucer !

☆

C'est un couple de Belges, monsieur et madame Martin. Un jour, madame Martin dit à son mari :

– Eh, va voir si le boucher, il a des pieds de veau !

Son mari y va, revient et lui dit :

– J'ai pas pu voir, il avait des chaussures !

☆

Madame Fayol, c'est une copine de madame Grinder. Elle a pris quelques jours de vacances dans le Poitou. Un jour, elle se promène sur un chemin vicinal de Sainte-Julie-du-Poitou, et qu'est-ce qu'elle voit au bord d'un champ d'épandage ? Eugène Poulossière en train de brasser le fumier.

– Oooh ! Qu'est-ce que vous faites là, mon bon ? lui demande-t-elle.

– Je suis en train de brasser du fumier pour le jardin de ma femme. Vous savez, le fumier, c'est formidable. Vous en mettez rien qu'un peu sur votre plante et elle se dresse, elle reverdit et elle grimpe comme avant.

Là-dessus madame Fayol se penche, ramasse un peu de fumier, le met dans son sac et dit :

– C'est pour mon mari !

☆

C'est Fernande Poulossière qui passe aux Assises parce qu'elle a empoisonné l'Eugène. Le procureur de la République tend vers elle un doigt accusateur et lui dit :

– Madame, votre acte était prémédité !

– Comment ? Quoi ?

– Vous avez fait exprès !

– C'est vite dit...

– Oui, c'était un crime prémédité ! D'ailleurs, dans la soupe de votre mari, il y avait quatre doses de poison. De quoi tuer quatre personnes normales !

180

– Mais c'est la faute de ce grand cochon, monsieur le procureur! Qu'est-ce que vous voulez qu' j'y fasse, il a toujours bouffé comme quatre!

☆

Ça se passe à la campagne. C'est le petit Guigui qui joue dehors, dans la cour de la ferme, avec un gros tas de fumier. Il est en train de faire un bonhomme de fumier. Tout à coup le père Favier vient à passer par là, lève le nez de son bréviaire et s'exclame:

– Oh! quelle odeur! Mais que fais-tu là, mon petit Guigui?

– Eh, je fais un curé!

– Oh! Tu n'as pas honte? Oh, alors ça! Ça ne va pas se passer comme ça!

Là-dessus il y a un gendarme qui arrive, le brigadier Fayol, et qui demande:

– Ça va pas, monsieur le curé?

– Ben regardez-moi ce petit mal élevé: il est en train de jouer avec le tas de fumier, et il m'a dit qu'il faisait un curé.

Alors le petit Guigui lui répond:

– Vous fâchez pas! Je voulais d'abord faire un gendarme, mais j'avais pas assez de merde!

☆

Le Jean-Loup a quelque chose qui tourne pas rond. C'est du moins ce que pensent ses parents, au point qu'ils l'envoient consulter un psychiatre. Il arrive dans le cabinet du médecin et ce dernier lui dit :

– Asseyez-vous. Alors comme ça, il paraît que vous avez des problèmes, jeune homme ?

– Mais non, je n'ai pas de problèmes. Je suis normal, eh ! Bon, d'accord, j'ai mes goûts et mes préférences ! Par exemple, mes parents trouvent bizarre que je préfère les chaussettes en coton aux chaussettes en laine. Bah et alors ? La belle affaire, si je préfère les chaussettes en coton ! C'est mon droit, non ?

Et le psychiatre de lui répondre :

– Bien sûr, vous avez parfaitement le droit ! Moi aussi, j'aime les chaussettes en coton. Et vous, vous les aimez comment ? Avec un filet d'huile, du vinaigre ou au citron ?

☆

Ça se passe à Marseille, à la piscine olympique municipale. C'est la piscine Bernard Tapie. Comme c'est lui qui l'a fait construire, elle porte son nom. Et là, il y a le maître nageur qui entraîne une bande de jeunes, de beaux athlètes, des mecs qui savent nager le crawl, la brasse, la nage papillon, et tout et tout.

Un jour, un petit bonhomme se présente à l'entraînement avec un caleçon ridicule et demande au maître nageur :

– Dites, monsieur, ça ne vous dérange pas que je nage dans la piscine ?

L'entraîneur regarde ce mec tellement minable à côté de ses athlètes et lui fait :

– Non, non, petit ! Écoute ! Non ! Écoute-moi ! Reviens ce soir. Ils seront tous partis, et tu pourras nager tranquille !

– Ben d'accord !

Le mec revient le soir et dit :

– Monsieur, vous m'aviez promis que...

– Oui ! Vas-y ! Vas-y !

Là-dessus, l'avorton se fout en maillot de bain, puis se jette à l'eau et traverse la piscine. Mais il nage à une telle vitesse qu'on le croirait équipé d'une hélice. Le maître nageur n'en revient pas :

– Oh putain ! C'est pas possible ! Bonne mère, il va plus vite que le chrono ! J'ai jamais vu ça ! Mais comment tu fais ? T'es un super champion ! C'est quoi, ton secret ?

– Ben c'est de l'entraînement, vous savez, rien que de l'entraînement ! Mon papa est pêcheur. Le matin il va poser ses filets au large du phare et puis il me jette à l'eau. Moi je rentre au port en nageant ! Voilà, c'est tout !

– Putain, c'est un bon entraînement ! Mais ça doit être dur !

Et l'avorton lui répond :

– Non... le plus dur, c'est de sortir du sac et de nager avec des boulets aux pieds !

☆

Deux papys se prennent un petit verre à la terrasse d'un café quand, tout à coup, une super-Ginette passe sur le trottoir :

– Tu l'as vue, celle-là ? demande l'un des pépés à son copain. Oooooooh, comme elle est roulée ! Je la baiserais bien !

Et là-dessus son copain lui répond :

– Nuance : tu la baiserais volontiers !

☆

C'est Jean-Loup qui revient du boulot. Il est équarrisseur de guidons chez Harley-Davidson. Pour être équarrisseur de guidons il faut avoir des avant-bras comme ça, alors Jean-Loup rentre chez lui complètement crevé. Il enlève le casque, le blouson, les gants, les tiags et il s'allonge sur le paddock en demandant :

– Qu'est-ce qu'il y a, à la télé ?

Là-dessus, Ginette sort de la salle de bains. Elle s'est faite vachement belle, avec une jolie robe et tout, et elle lui fait :

– Ben alors Jean-Loup, mon chéri, tu as oublié aow ?

– Oublié quoi ?

– Mais c'est mon anniversaire ! Tu m'avais promis de m'emmener au Lido.

– Ah c'est vrai ! Merde ! Bon, bah ce qui est dit est dit. Je te demande deux secondes, juste le temps de me préparer...

Hop, il file dans la salle de bains, se rase, se parfume, se pomponne et enfile un beau costume en deux temps trois mouvements. Puis ils prennent un taxi et vont au Lido. Ginette est toute contente :

– Oh ! la la ! Super ! J'y suis jamais allée ! Il paraît que c'est super !

– Ah ben moi non plus, j'y suis jamais allé ! lui répond Jean-Loup. Paraît que ça coûte, d'ailleurs ! Mais si les étrangers y vont, c'est que c'est pas de la merde, hein !

Ils arrivent devant le Lido et le portier leur ouvre la porte en disant :

– Bonsoir monsieur Jean-Loup ! Entrez !

– Oh ! la la ! Il te connaît aoww ? s'étonne Ginette.

– Mais non, il me connaît pas, il m'a jamais vu ! Il est con, ce mec ! Il doit me confondre avec un autre ! Je suis jamais venu ! Il est con, lui !

Là-dessus arrive une bunny qui lui susurre :

– Bonsoir, monsieur Jean-Loup ! Je vous mets la table habituelle ?

– Oh ! la la ! Et celle-là, aow, tu vas pas me dire qu'elle te connaît pas ? s'énerve Ginette.

– Mais elle est malade de la tête, la zessgon ! Je la connais pas, moi ! La preuve, je suis jamais venu !

Arrive le maître d'hôtel :

– Petit champagne rosé, monsieur Jean-Loup, comme d'habitude ?

– Mais qu'est-ce qu'ils ont tous ? C'est pas d'ma faute, s'ils me confondent avec un autre mec qui s'appelle Jean-Loup et qui a la même gueule que moi, qu'est-ce que tu veux que j'te dise ! J'y peux rien !

– Arrête, menteur, aoww ! Tout le monde te connaît, aoww !

Sur ce le spectacle commence, et chaque fois que les danseuses passent près de la table elles lancent un clin d'œil en disant :

– Bonsoir, m'sieur Jean-Loup !

Puis le meneur de la revue monte sur scène et annonce :

– Bonsoir ! Bienvenus au Lido ! Welcome in the Lido ! Un bravo tout spécial à monsieur Jean-Loup qui est revenu parmi nous.

– Salaud, menteur ! Viens, on se casse ! s'écrie Jean-Loup, totalement exaspéré.

Ginette va au vestiaire, rafle son sac en passant, et ils montent tous les deux dans un taxi pour rentrer à la maison. À ce moment-là, le chauffeur de taxi se tourne vers Jean-Loup et lui fait :

– Écoutez, m'sieur Jean-Loup ! Je vous ai déjà vu ramener des boudins, mais des pétasses comme ça, jamais !

☆

Ginette a changé de boulot : maintenant, elle est secrétaire de direction chez Maurice. C'est que le Maurice, entre-temps, il a fait fortune en faisant de l'import-export de couenne de jambon. D'ailleurs, il s'en est expliqué dans un livre. Bref, c'est un cas de réussite à la Bernard Tapie, au point qu'on l'appelle le Tapie de Bab-el-Oued ! Inutile de préciser que, du coup, Ginette est tombée amoureuse de son patron ! De temps en temps, Maurice baisse les stores, vire les dossiers et se la culbute à même le bureau...

Un jour, juste à l'instant où ils allaient s'envoyer en l'air, il y a la femme de Maurice qui appelle. Ils n'ont pas encore eu le temps de... mais ils étaient presque sur le point de... et paf, le téléphone !

Alors Ginette décroche et entend la femme de Maurice lui demander :

– Allô ! Bonjour, il est là mon mari ?

Et Ginette lui répond :

– Quittez pas, je vous le passe, il n'est pas encore rentré !

☆

Du coup Maurice, en ce moment, ça va pas du tout avec sa femme. Il y a comme un malaise qui s'installe entre eux, au point qu'un jour elle lui dit :

– Maurice, écoute-moi ! Je sens bien que tu me caches quelque chose ! Tu ne me parles plus, et tu ne me regardes même plus. Maurice, j'en suis sûre, tu as une maîtresse...

– Écoute, ça me pesait de te dire la vérité, mais je vais te dire : effectivement, j'ai une maîtresse. Voilà, comme ça je suis débarrassé et je me sens mieux !

– Pourquoi tu me fais ça à moi, Maurice ? Pourquoi tu as pris une maîtresse ? Pourquoi ?

– Tu veux que je te dise pourquoi ?

– Oui, dis-moi pourquoi !

– Tu veux vraiment que je te dise pourquoi ?

– Maintenant, tu sais, tu peux tout me dire...

– Alors voilà. Si j'ai pris une maîtresse, c'est pas parce qu'elle est belle. C'est pas parce qu'elle est riche, ni rien... On s'est rencontrés tout simplement. Elle n'a rien fait pour chercher à me plaire. Ce qu'il y a, c'est qu'elle, quand on fait l'amour, elle crie. C'est tout con, tu vois : elle crie. Elle est là à faire : « Aaaaah, oh ouiiii, encore ! Ouiiiiiii », et moi j'ai l'impression d'être un homme, ça me conforte dans ma virilité. Toi, quand on fait l'amour, rien, pas un mot. Pas une parole. Tandis qu'elle, elle crie, et ça me fait plaisir !

– Ben Maurice, t'avais qu'à me le dire ! Si tu veux je vais crier un peu, je peux essayer, hein !

– Ben si tu veux, ce soir, on essayera !

Le soir ils se mettent au lit, ils commencent et il y a la femme de Maurice qui fait :

– Bon, je crie maintenant ? Je crie maintenant, Maurice ?

– Non, pas maintenant ! Pas encore ! On vient juste de commencer, ça ressemblerait à rien ! Attends un peu !

Au bout de dix minutes, elle fait :

– Qu'est-ce que je fais ? Je crie maintenant ?

– Attends un peu ! C'est pas vrai, ça !

Au bout de vingt minutes, Maurice finit quand même par dire à sa femme :

– Bon maintenant, si tu veux, tu peux crier !

Et sa femme lui fait :

– Bon d'accord ! Aïe aïe aïe ! Maurice, tu sais qui m'a téléphoné ce matin ? Madame Bensemoule !

☆

C'est Ginette et Josy qui se rencontrent, et il y avait longtemps qu'elles ne s'étaient pas vues.

– Qu'est-ce que tu deviens, aow ? demande Ginette à Josy. Je ne t'ai pas vue, au concert de Sting ? Qu'est-ce que tu faisais ? Tu flippais, aoww ?

– Non non, mais si tu veux, en ce moment, je me suis inscrite à un club. C'est un club de rencontres naturistes. Alors on se réunit, tu vois, on se fout tous à poil et on parle de nos corps. C'est vachement bien. On assume à mort et tout, quoi...

Là-dessus elles se quittent et se retrouvent le lendemain. Et comme Josy n'a pas l'air dans son assiette, Ginette lui demande :

– Ben alors, qu'est-ce que t'as ? T'en fais, une de ces têtes ? T'es malade, ou t'es tombée sur un mec qui avait un gros pipe-line ?

– Pas du tout, c' que tu peux être conne ! Ce soir c'est l'anniversaire du club, on a une soirée de gala, alors j'ai mis les bigoudis !

☆

C'est Eugène Poulossière. Il est dans son jardin en train de se livrer à un travail très dur : planter les oignons. Les oignons, si on ne les plante pas bien, pas assez profond, pas au bon endroit, c'est foutu, ils ne prennent pas. Alors le père Poulossière s'applique, très concentré sur son travail. Et pendant ce temps-là, à la ferme, la mère Poulossière est en train de se faire faire crac-crac biscotte par le facteur. Elle est là :

– Aaaaah ! Oh ouiiiii ! Vas-y ! Pousse ! Enfonce encore ! Plus profond !

Elle crie si fort que le père Poulossière finit par l'entendre et lui dit :

– Eh la Fernande, je sais comment faut faire ! Occupe-toi de ton cul !

☆

Deux petits spermatozoïdes débutants se retrouvent à faire la queue pour la première fois. Ils sont là, vaguement inquiets de ce qui va se passer, et il y en a un qui demande à l'autre :

– Alors, qu'est-ce qu'on attend ? Qu'est-ce qu'on fait ?

– Je ne sais pas, il faudrait demander à un vieux !

Là-dessus, un vieux spermatozoïde passe par là et leur fait :

– Ça va, les jeunes ?

– Ouais, bonjour ! Dites donc, où est-ce qu'on doit se mettre ?

– Restez à l'arrière, on est moins secoués !

☆

Vous n'êtes pas sans savoir que Ginette et Jean-Loup ont un petit garçon de huit ans, le petit Guigui. Un soir, Jean-Loup rentre du boulot fatigué. Il va aux toilettes, pousse la porte, et qu'est-ce qu'il voit ? Le petit Guigui en train de... se polir le chinois...

– Mais il est malade, ce môme !

Et paf ! Jean-Loup lui fout une tarte. Là-dessus Ginette arrive, il lui explique ce qu'il a vu et elle fait :

– Oh ! la la ! c'est vrai ? À huit ans ? Mais c'est horrible ! Je ne sais pas moi, aow, il faut tout de suite l'emmener chez le docteur !

Et hop ils l'emmènent chez le docteur Jacquot, qui est psychologue pour enfants.

– Vous ne vous rendez pas compte, docteur, lui explique Ginette, on l'a trouvé dans les toilettes en train de se... de... enfin il a des manies, vous voyez ?

– Écouteeez ! lui fait le docteur Jacquot. Vous savez, chez les garçons, c'est fréquent ! Quel âge a-t-il ?

– Il n'a que huit ans !

– Mais justement, à huit ans c'est fréquent ! Si vous voulez, c'est une hyperactivité à tendance psychotique disons érotico-juvénile aboutissant à une fixation au niveau masturbatoire.

Et Ginette de lui répondre :

– Ah bon ? Vous me rassurez, moi qui croyais qu'il se branlait !

☆

Il y a bien longtemps que madame Grinder n'a plus de vie de femme, mais elle prend ça avec une certaine philosophie. D'ailleurs, comme elle dit toujours à madame Saillard :

– Oh vous savez, les hommes... je sais ce que c'est, j'en ai euch ! Eh bien croyez-moi : mieux vaut élever des chiensch ! Eux, au moins, ils vous lèchent !

☆

C'est dimanche, et le dimanche madame Grinder garde son petit-fils, le petit Guigui. Guigui est là, sur la table de la cuisine. Pendant

193

que Mamie regarde Jacques Martin, lui fait ses devoirs. Mais tout à coup il s'écrie :

– Oh ! Mamie, viens voir ! Viens voir !

– Qu'est-ce qu'il y a, mon chérich ?

– C'est pour le devoir de français ! Voilà, c'est un texte de Pierre Loteau, lieutenant de vessie, et là il y a marqué : « et il s'amarra à une bite d'amarrage. » Dis Mamie, bite, ça prend un *t* ou deux *t*?

– Mets-en toujours deux, c'est jamais assez long ces trucs-là !

☆

C'est un Ghanéen qui, en visite à Paris, a assisté à un match de rugby. À peine rentré chez lui, il raconte à ses copains :

– Ah ! la la ! dis donc ! J'ai vu un truc à Paris ! Hou ! la la la ! hein ! Alors voilà : il y a deux tribus ennemies ; elles se retrouvent sur une espèce de terrain plat, et elles se regardent méchamment. Tu sens que vont sortir les sagaies, là bientôt. Et puis au moment où elles vont se battre, il y a le grand sorcier qui arrive. Il est habillé tout en noir, dis donc. Il sort présentement un gros œuf d'autruche tout marron qu'il pose au milieu et à ce moment-là, quand il a posé l'œuf, il pleut dis donc !

☆

Pour leur voyage de noces, Jean-Loup et Ginette ont décidé d'aller dans le Midi. Et pour une fois qu'ils ont un peu d'argent, ils vont voyager en train-couchettes. Pour Ginette, c'est vraiment la fête :

– Oh ! Un voyage de noces en train-couchettes, qu'est-ce que c'est romantique, aow ! Oh putain, je flippe. Mais dis-moi, mon Jean-Loup, si dans la nuit on a envie, aoww, qu'est-ce qu'on fait ? Parce que des fois, il y a des voisins dans le train-couchettes, on n'est pas tout seuls...

– On n'a qu'à utiliser un code ! Si t'as envie qu'on fasse crac-crac biscotte, t'as qu'à me dire : « Tiens j'ai soif, coupe-moi un pample-mousse ! »

– Ouais, super aoww ! Oh ! la la ! Ce que t'es génial, mon Jean-Loup ! Quelle bonne idée !

Alors ils prennent place dans le compartiment du train-couchettes et choisissent la couchette du dessus. Juste en dessous, il y a madame Grinder. Madame Grinder qui descend à Salon-de-Provence pour voir madame Morchoit, une de ses amies dont le mari a été emporté par une grue, rue Saint-Denis. Madame Grinder, ce n'est pas la voisine idéale. Elle est râleuse et le fait sentir tout de suite, histoire de mettre tout le monde à l'aise :

– Je vous préviens, moi, je me mets près de la fenêtre !

– Allez-y, je vous en prie !

– Et puis je vous préviens aussi, je prends le lit du dessous !

– Mais oui, madame, comme vous voudrez : quand il y a d' la gêne, y a pas d' plaisir...

Et puis le train démarre. Soudain, à peine la nuit tombée, il y a Ginette qui fait :

– Jean-Loup j'ai soif, tu me coupes un pamplemousse ?

– Ouais, avec plaisir !

Une heure passe et Ginette remet ça :

– Jean-Loup, j'ai encore soif ! Tu me couperais un autre pamplemousse ?

– Bien sûr, suffit de d'mander !

Rebelote vers six heures du matin, mais madame Grinder lance tout à coup :

– Arrêtez de lui couper du pamplemousse !

– Bah, et pourquoi ça ?

– C'est moi qui reçois tout le jus !

☆

C'est Eugène Poulossière qui se rend à la fête annuelle de Sainte-Julie-du-Poitou. Chaque année la mairie organise de grandes festivités, la foire des Saints-Beurrés, en l'honneur de la sainte patronne du village. Même que ça attire un monde fou et que des gens de la ville retiennent une chambre un an à l'avance pour ne pas manquer ça. L'Eugène, lui, il s'est fait beau comme un sou neuf. Propre sur lui et tout. En plus il sort en garçon, parce que la Fernande ne se sentait pas dans son assiette. Il est là, accoudé à la buvette, quand une espèce de Ginette très très libérée l'aborde avec une cigarette à la main et lui demande :

– Pardon monsieur, aow, vous auriez du feu ?

– Ben oui, pour sûr ! Attendez vouér !

Et hop, il sort de son gousset le briquet d'amadou que son arrière-grand-oncle lui a légué en 1932 et il allume la cigarette de la petite. Et la Ginette tire tant et si bien sur sa clope qu'elle n'en fait qu'une seule bouffée. L'Eugène en reste baba :

– Ah nom de Diou ! C'est un vrrrai aspirrrateur du BHV, c'te gonzesse !

Là-dessus, la Ginette lui dit :

– Ça ne vous gênerait pas d'aller me chercher un Coca, aow ?

– Ben voyons, ma p'tite dame, pas du tout !

Et hop, l'Eugène s'en revient avec une bouteille de Coca et un brin de paille ramassé à même le champ. À peine a-t-elle le temps de lui dire merci que la Ginette, d'une seule aspiration, se boit tout le Coca d'un trait. L'Eugène n'a jamais vu ça :

– Ben dites donc, quelle santé ! Zavez un de ces souffles, vous alors ! Vous devrrriez faire du triathlon !

– Vous savez, le triathlon, c'est pas mon truc. En revanche en amour, je vous dis pas, ça offre des possibilités beaucoup plus développées !

L'Eugène rougit un peu et lui fait :

– Ben j'aimerrrais bien voér ça !

– Si vous insistez...

Et les voilà qui vont à l'hôtel, tranquilles comme Basile, et qui se prennent une chambre. Le Poulossière se déshabille en moins de deux, s'allonge sur le lit, et la Ginette commence aussitôt à lui tutoyer la clarinette. Tout se passe bien, jusqu'à ce que l'Eugène s'écrie :

– Ooooh ! Ooooh ! Arrêtez ! Arrêtez !

– Ben quoi, c'est pas bon ? Vous aimez pas ?

– Si, mais vous y allez si fort que j'ai les drrraps du lit qui me rrrentrent dans les fesses !

☆

C'est l'histoire de la Cicciolina qui vient de mourir dans son lit, qui se présente au Paradis et qui sonne. Saint Pierre vient lui ouvrir et lui dit :

– C'est quoi ? Qu'est-ce que c'est ? Oh mais je vous reconnais, vous, hein ! Si si, on n' me la fait pas, je vous reconnais, vous êtes la Cicciolina. Pas question de Paradis. Ah non, pas question. Avec la vie que vous avez menée, vous brûlerez en enfer !

Et la Cicciolina lui répond avec un hausse-ment d'épaules qui fait tomber la bretelle de son maillot :

– Bon très bien ! Va bene !

Alors elle va en enfer. Seulement, deux jours après, il y a le diable qui appelle saint Pierre et qui lui dit :

– Dis donc, la cliente que tu m'as envoyée, ça ne va pas du tout !

– La Cicciolina ? Et pourquoi donc ?

– Eh ben mon vieux, on ne peut pas la brû-ler : elle est pleine de nœuds !

☆

Madame Grinder a été nommée directrice d'un collège de jeunes filles, et elle a décidé de se montrer d'une sévérité inflexible :

– Mesdemoiselles, puisque vous avez chahuté hier, je vous supprime la télévisionch : dimanche, vous n'aurez pas droit à Jacques Martinch.

Un jour, un représentant sonne à la porte de l'école, et c'est justement madame Grinder qui lui ouvre :

– C'est pour quoi ?

– Bonjour madame ! Voilà, mon nom c'est Maurice, et je suis représentant en vibromas-seurs.

– Sortez immédiatementch !

199

– Attendez ! Attendez ! J'ai une affaire à vous proposer comme vous n'en verrez pas deux dans votre vie.

Le Maurice d'ouvrir sa valise et d'ajouter :

– Voilà, je vous laisse la valise. Sur la tête de ma mère je vous la laisse. Je vous la laisse à l'essai, c'est gratuit, vous faites passer à vos élèves et si personne n'en veut ça n' vous coûtera rien. Parole, c'est comme j' vous l' dis ! Vous voyez, ça s' refuse pas...

– Sortezch !

– Mais j' vous laisse tout gratuit ! Ces choses-là, ça se juge à l'usage ! Et s'il n'y a pas d' clients pour moi, vous m' rendez la valise et on n'en parle plus !

– Vous êtes sûr, il n'y a rien à payerch ?

– Sur la tête de ma pauvre mère !

– Bon... Laissez toujours et revenez la semaine prochaine, on verrach...

Le Maurice revient la semaine suivante et effectivement, tout le contenant de la valise a été pillé. Là-dessus madame Grinder le prend à part et lui fait :

– Est-ce que je peux vous voir deux minutes en particulier ?

– Autant que vous voudrez !

– Eh bien voilà, personnellement je m'y suis laissé prendre et j'ai fixé mon choix. J'aimerais prendre celui-là.

– Ah non, pas celui-là ! lui répond Maurice.

– Et pourquoi ?

– Laissez tomber, c'est ma bouteille thermos !

☆

C'est un couple de jeunes gens très très bien élevés qui sont assis dans un square sur un banc. Ils commencent à flirter un tout petit peu et là-dessus la fille dit :

– Oh vas-y, Léopold ! Continue, Léopold ! Oh si si si ! Oh ouiiii ! Continue ! Par contre, Léopold, enlève tes lunettes, ça me fait froid sur le ventre !

Et au bout d'un moment, on entend la jeune fille qui ajoute :

– Bon Léopold, remets tes lunettes ! Tu lèches le banc !

☆

C'est un vieux monsieur qui est au crépuscule de sa vie. Un soir, chez lui, juste avant de se coucher, il se déshabille devant la glace. Et en se voyant nu, tous les souvenirs lui reviennent. Par exemple, il regarde sa zigounette et se dit :

– Aaaah ! Ma grande ! T'en auras eu, une belle vie. Tu ne te seras pas ennuyée, hein ? Ça, on peut s'en aller tranquilles, je t'en aurais fait voir des vertes et des pas mûres, hein !

À ce moment-là, comme il est très vieux, il s'oublie. Il lâche un léger vent. Alors un peu surpris il se retourne, il regarde son cul et lui dit :

– Oh ! Ça va, râle pas ! T'en as eu ta part toi aussi, hein !

☆

C'est Jean-Loup qui est allé passer le week-end chez ses beaux-parents. Les vieux de Ginette ne se parlent toujours pas, sauf par gestes, et ça fait dix ans que ça dure. Un soir, Jean-Loup appelle Ginette et lui dit :

– Putain ! Viens voir ! Viens voir !

– Quoi, qu'est-ce qu'il y a, aow ?

– Regarde ce qu'ils sont en train de faire !

Et là, il faut dire que les parents de Ginette font un truc incroyable : madame est allongée sur son lit, complètement à poil, tandis que monsieur, assis sur elle, compte sur ses doigts en tenant un parapluie ouvert.

– Mais qu'est-ce que ça veut dire ? Mais qu'est-ce qu'ils font ? s'inquiète Jean-Loup.

– Ben tu vois, ils sont en train de se réconcilier, lui explique Ginette. Maman vient de dire à papa : « Si tu as un pépin, tu peux compter sur moi ! »

☆

Ça se passe dans un café. Un client entre, va au comptoir et demande :

– Barman, s'il vous plaît ! Venez un peu ici ! Regardez-moi quand je vous parle !

– Oui, je suis là pour vous servir ! Qu'est-ce que ce sera ?

– Bien, vous allez me donner un jus de fruits ! Un jus de fruits nature, pressé !

– Un jus d'orange ?

– Un jus d'orange, ce sera parfait ! Juste avant la bagarre !

Et hop, le type boit le jus de fruits d'un trait et rappelle le garçon pour lui dire :

– C'est bon ! Oh oui c'est bon, et puis c'est naturel ! Vous pouvez m'en donner un deuxième ? Un deuxième bien frais, bien tassé, juste avant la bagarre !

Le deuxième verre est vidé aussi vite que le premier et le type explique cette fois au barman :

– Comme c'est plein de vitamine C, celle qui met en forme, vous allez me donner un troisième jus d'orange juste avant la bagarre !

– Mais pourquoi vous me dites tout le temps « juste avant la bagarre » ? finit par demander le garçon.

Et là, le type lui répond :

– Bah c'est juste avant la bagarre qu'il va y avoir quand je vous dirai que je n'ai pas de quoi payer ! Voilà !

☆

Le père Favier commence à se faire vieux, au point qu'il n'entend plus en confession. Le temps est venu pour lui de prendre sa retraite, alors il écrit au diocèse pour demander un remplaçant. Et dès le lendemain on lui envoie un tout jeune curé, le père Fecto qu'il s'appelle, un de ces nouveaux qui portent des tiags, des Ray-Ban et un blouson de cuir...

– Salut! Salut! C'est moi que j' viens pour vous remplacer!

– Ah c'est vous, fait le père Favier. Je me demande si vous avez un genre qui va plaire à mes paroissiens...!

– Ah ben ça je suis curé, oh! Et alors qu'est-ce qu'il y a? Eh regarde: j'ai la croix et tout!

– Bon ça ira! ça ira! Alors aujourd'hui vous faites la messe!

– Ouais, ouais! Pas de problème! Je sais faire la messe!

– Et le sermon?

– Ben pour le sermon, je sais pas, moi... Je vais leur raconter la mort du Christ!

– Bon très bien! Je resterai là pour vous écouter. Ça ne vous gêne pas?

– Non, non! Pas de problème!

Dix minutes après, toutes les paroissiennes sont là: madame Grinder, madame Saillard, madame Leclerc, madame Chabrot, madame Félix, et le père Fecto monte en chaire et lance :

– Salut les petits clous !

Et hop, il fait son sermon. À la fin, il va voir le père Favier et lui demande :

– Alors eh ! C'était bien ? C'était bien, la mort du Christ ?

– Pas mal ! Pas mal du tout ! C'était, comment dire, très coloré... Sauf que ça ne se passait pas au Mexique et qu'il n'est pas mort fusillé !

☆

C'est un jeune homme très bien qui rencontre un copain et qui lui raconte :

– Il m'est arrivé un de ces trucs ! Figure-toi que l'autre jour, j'étais dans le rapide Paris-Nice, et je revenais à Nice. Dans le train, j'ai fait la connaissance d'une femme charmante. Au début, elle n'arrivait pas à mettre sa valise, alors je lui ai donné un coup de main. Puis on s'est retrouvés au wagon-restaurant. On a discuté. On a sympathisé. Un genre de coup de foudre, quoi. Le problème, tu vois, c'est qu'elle se sentait attirée par moi, et que moi j'étais attiré par elle. Seulement, au bout d'un moment, elle m'a dit qu'elle était mariée. Et moi aussi, je lui ai dit que j'étais marié. Alors comment dire, on a tout à coup senti l'inutilité de la vie. Pourquoi faut-il

rencontrer le grand amour trop tard ? Quand il
est trop tard, à quoi ça rime ?

Là-dessus son copain lui dit :

– Évidemment, seulement tu sais, le grand
amour, c'est déjà pas donné à tout le monde...
Alors si je comprends bien, note que je ne voudrais surtout pas être indiscret mais c'est par
pure curiosité, alors finalement, comment
dire... vous n'avez rien fait ensemble ?

– Oh si, même qu'on a passé une nuit à la
fois horrible et fantastique !

– Ah bon, comment ça ?

– Bah on baisait, puis on pleurait, puis on
rebaisait, puis on repleurait...

☆

Ginette est de plus en plus complexée d'avoir
si peu de poitrine. Elle a tout essayé, toutes les
méthodes. Elle est allée voir un acupuncteur
chinois qui lui a essayé la méthode chinoise :
on vous fait deux trous, un sous chaque omo-
plate, et on souffle. Ça marche mais ça ne tient
pas...

On a essayé des piqûres d'hormones de poulet. C'était pas mal, mais quand elle a vu des
plumes lui pousser sous les aisselles, elle a
commencé à s'inquiéter.

Un jour, complètement à bout, elle va voir le docteur Jacquot qui est un praticien très au courant des méthodes internationales.

– Écouteeez, il y a une méthode thaïlandaise qui nous vient directement d'Arménie. C'est très simple. Tous les matins, en vous levant avant de partir au travail, vous allez vous frotter la poitrine en chantant : « Dans le petit bois, on retrousse les chemises, on fait des bêtises. Souviens-toi nous deux ! »

– Vous vous foutez de ma gueule ?

– Non, non ! Vous allez voir, c'est très efficace !

« Il est con, celui-là ! » se dit Ginette. Mais en désespoir de cause, elle essaye néanmoins. Alors le matin, dans sa salle de bains, elle est là et elle chante :

– Dans le petit bois, on retrousse les chemises, on fait des bêtises. Souviens-toi nous deux !

Et effectivement, au bout d'une semaine, elle s'aperçoit que ça repousse... Au point qu'elle retourne voir le docteur Jacquot pour lui dire :

– C'est super ! Ça marche, mais j'en voudrais encore plus !

– Alors, il faut changer de chanson ! À partir de demain, vous chanterez : « Au clair de la lune, mon ami Pierrot... »

– Oh ! la la ! C'est génial !

Et hop, le lendemain : « Au clair de la lune, mon ami Pierrot... » Et ça pousse, ça pousse.

Un matin, Ginette part en retard au boulot et s'aperçoit dans le métro qu'elle a oublié de faire ses exercices :

– Oh merde, avec tout ça, j'ai oublié ce matin ! Ça fait rien, je vais le faire dans le métro.

Elle se met à chanter : « Au clair de la lune, mon ami Pierrot » quand tout à coup un mec s'approche et lui fait :

– Dites donc, mademoiselle, j'ai l'impression qu'on doit avoir le même docteur...

– Pourquoi vous me dites ça ?

– Ben parce que moi c'est : « Ma chandelle est morte » !

☆

C'est une toute petite Ginette, mais alors une Ginette miniature. Elle n'est pas naine mais presque. Et elle en souffre, alors elle va voir le docteur Jacquot et lui fait :

– Bonjour docteur ! Je viens vous voir parce que ça ne va pas du tout !

– Écouteeez ! Sautez dans le fauteuil, je vous écoute !

– Voilà... Je ne sais pas ce qui se passe mais je suis un petit peu, comment dirais-je, je suis un petit peu irritée, vous voyez !

– Où ça ?

– Ben là !

– Ah ouais d'accord ! Je vais vous examineeer ! Ah très bien ! Très bien ! Je vois ce que c'est ! Écoutez, je vais vous opérer tout de suite !

– Quoi, là, maintenant, comme ça ?

– Ne vous inquiétez pas ! Ça va aller très vite !

Là-dessus il attrape la Ginette, la pose sur la table d'opération, prend son ciseau, son scalpel, et hop, c'est déjà terminé...

– Voilà, c'est fini, vous n'aurez plus mal !

– Oh c'est formidable ! Mais qu'est-ce que vous m'avez fait ? Je n'ai rien senti !

– J'ai simplement coupé le haut de vos bottes !

☆

C'est un monsieur qui passe rue Saint-Denis et il y a une péripé... une péripa... bref une pute qui lui dit :

– Tu viens mon chéri ?

– Ouais, attendez ! Ça va coûter cher ?

– Ben t'as combien sur toi ?

– J'ai cinquante balles !

– Ouais, encore un fauché... Bon, ça va ! Cinquante balles ça peut aller !

Alors ils montent faire leurs petites affaires et le monsieur s'en va.

Une semaine après, le même monsieur repasse dans la même rue et la même fille lui fait :

– Alors, mon loup ! T'étais content, la dernière fois ?

– Ouais, m'en parlez pas ! M'en parlez pas ! La dernière fois, vous m'avez refilé des morpions !

– Ben pour cinquante balles, j'allais pas te filer des langoustes hein ?

☆

C'est un explorateur qui se fait attraper par les cannibales de la tribu des Bambaras. Alors ils le mettent dans la marmite et commencent à le faire cuire, et juste à ce moment-là il y a le chef qui fait :

– Avant de te manger, présentement, on va t'offrrrrir un petit spectacle !

Là-dessus quatre nanas magnifiques, des canons, viennent danser complètement à poil autour de la marmite. L'explorateur n'en peut plus :

– Non, non ! Arrêtez ! Arrêtez ! C'est dégueulasse. Vous avez vu dans quel état ça me met ?

Et le chef de lui répondre :

– Bah justement, il y en aura plus à bouffer !

☆

C'est un Marseillais qui monte à Paris, il passe rue Saint-Denis, là où il y a toutes les putes, et il y en a une qui lui fait :

– Tu montes, chéri ? Tu vas voir, je te ferai de ces trucs ! Des trucs qu'on t'a jamais faits !

– Tu rigoles, j'étais dans la marine, alors j'ai tout vu, con ! J'ai tout vu !

– Eh bien, moi j' te dis que j' t'en ferai voir de toutes les couleurs ! T'as qu'à essayer, monte, tu verras !

– Non, tu ne pourras jamais me faire ce qu'on m'a fait à Marseille.

Un peu étonnée, la fille finit par lui demander :

– Mais enfin quoi, qu'est-ce qu'on t'a fait, à Marseille ?

– Crédit !

C'est Maurice qui vient de décrocher un chantier : un monsieur lui a demandé de creuser un trou dans son jardin pour y installer sa piscine. Et le Maurice, qui ne se sent pas de creuser le trou lui-même, a embauché un ouvrier corse pour le faire. Alors il est là et il lui dit :

– Bon allez, tu creuses le trou ! Allez, vas-y mon fils ! Vas-y !

Puis il le regarde travailler, et au bout d'un moment il lui demande :

– Bon ! Sors du trou ! Allez sors du trou, j' te dis !

À peine le Corse est-il sorti du trou que Maurice lui fait :

– Redescends dans le trou !

Puis :

– Sors du trou !

Et aussitôt :

– Redescends dans le trou !

Tant et si bien que le Corse finit par lui dire :

– Mais pourquoi vous me faites sans cesse sortir et redescendre ?

Et Maurice de lui répondre :

– Parce qu'à la vitesse où tu vas avec ta pelle, tu sors plus de terre avec tes chaussures !

☆

Ça se passe dans une ville où vient tout juste d'ouvrir une maison close. Un jour, un monsieur qui s'ennuie un peu finit par se dire :

– Tiens, histoire de ne pas mourir idiot, je vais y aller ! On va voir ce que c'est !

Alors il arrive, il sonne et la mère maquerelle lui ouvre en disant :

– Bonjour, monsieur !

– Alors c'est bien ? C'est accueillant ?

– Très ! En plus, ici, on a des spécialités. Vous allez être étonné.

– Et combien ça coûte ?

– C'est deux cents francs !

Le monsieur paye ses deux cents francs, entre dans une chambre, se déshabille et attend. Au bout de deux minutes, toujours pas de gonzesse. Trois minutes... Cinq minutes... Au bout de dix minutes il y a une petite trappe qui s'ouvre, un canard entre dans la chambre, et là un voyant lumineux s'allume sur lequel est marqué : « Tapez-vous le canard. »

– Mais ils sont complètement barges ! se dit le monsieur. Enfin ! Peut-être que... ! Oh, bon ! Peut-être que c'est le début des festivités, et qu'après les gonzesses vont arriver... Après tout, pourquoi pas, il doit y avoir une raison...

Alors le monsieur se met à courir après le canard, essaye de l'attraper, et finalement, juste au moment où il va réussir à le coincer, une deuxième trappe s'ouvre et le canard disparaît.

– Oh ! mais c'est complètement con, ce truc ! se dit le monsieur. Oh ! la la ! Ah ça, on ne m'y reprendra pas de sitôt !

Et il s'en va aussi furieux que déçu. La semaine suivante, le même monsieur repasse dans la même rue et un mec l'aborde en lui disant :

– Cinéma cochon !

– Ah oui, et c'est combien ?

– Cinquante francs.

Le monsieur paye et entre dans une salle où plein de types se relayent pour regarder à travers le trou d'une serrure en rigolant.

En attendant son tour, le monsieur demande à son voisin :

– C'est intéressant ?

Et le type de lui répondre :

– Oui, mais c'est quand même moins bien que la semaine dernière ! La semaine dernière, il y avait un mec qui essayait de se taper un canard, c'était à mourir de rire !

☆

Quoi qu'on en dise, en réalité, Cendrillon s'appelait Ginette. Elle habitait dans un F4 à Sarcelles entre sa belle-maman, madame Grinder, et ses deux demi-sœurs qui étaient deux espèces de salopes : Anastasie et Camomille.

– Ginette ! Va chercher le courrierch ! Va au supergéant Casino, ramène-nous des barquettes de colinch ! Donne à manger à Minouche ! Frotte dans l'escalierch ! Ginette...

Et c'était comme ça toute la journée, une vraie vie de misère !

Un jour, un bal est organisé à la cité Jean-Jaurès avec un super-orchestre, « Coups et Blessures » qu'il s'appelle. Évidemment Anastasie et Camomille ont décidé d'y aller. Elles se préparent et disent à Ginette :

– Passe-moi mon blouson et mes tiags ! Ce soir, on va au bal ! Ça va être super, même qu'à tous les coups y aura de la baston !

Bien sûr, Ginette aimerait y aller elle aussi, au bal de la cité Jean-Jaurès, mais sa belle-mère lui a dit :

– Il n'en est pas questionch ! Tu n'iras pas danserch !

– Mais pourquoi, Mamie ?

– C'est comme ça !

– Expliquez-moi ?

– Parce que tu es indisposéech ! Et quand on est indisposéech, on ne va pas danserch, voilà !

Le soir venu, Cendrillon-Ginette se retrouve complètement seule dans son F4. Elle est là, toute triste, à ruminer des idées noires :

– Oh ! la la ! Tout ça parce que je suis indisposée ! Merde, quand même ! Ce n'est pas une raison !

215

Alors elle allume la télé puis, pour s'occuper, elle passe distraitement un peu de « Fée du logis » sur les meubles... quand tout à coup, la Fée dans son Froc apparaît :

– Pourquoi es-tu si triste, Ginette ?

– Oh ! la la ! Je n'ai pas eu le droit d'aller au bal parce que...

– Mais enfin, ma petite Ginette, ne connais-tu donc pas le petit tampon avec applicateur ? Même quand tu es indisposée il te permet de faire de l'équitation, de la natation, de la marche à pied, du vélo-cross... Et tout ça pour deux francs quatre-vingts !

– Ah non, je ne connais pas !

– Eh bien c'est pas grave, il y a un début à tout ! Attention, un coup de ma baguette magique et il va apparaître devant tes yeux éblouis. Par le grand bachi-bouzouk... wouf ! Schlack !

Ginette n'en revient pas :

– Oh, c'est vraiment super, merci ! Mais au fait, comment on fait ?

– Écoute, je ne peux quand même pas... Tu te débrouilles, hein ! Je suis sûre qu'avec un peu d'imagination, tu trouveras toute seule !

Ginette va dans la salle de bains et finit par comprendre. Puis elle enfile son blouson, ses tiags, et demande à la Fée dans son Froc :

– Voilà, j'suis prête, je peux y aller ?

– Oui, mais attention, Ginette ! Il faudra être rentrée avant les douze coups !

– Les douze coups de qui ?

– Ça tu te démerdes, tu as le choix !

Alors elle prend sa mob et arrive square Jean-Jaurès. Il y a une ambiance du tonnerre ! Les canettes volent bas et l'orchestre mène un train d'enfer. Et aussitôt, Ginette tombe amoureuse d'un punk. Un superbe punk. Ils sont là, croquent dans le même MacDo, boivent le même lait-fraise avec deux pailles, au point que Ginette en oublie l'heure qui passe...

Et au douzième coup de minuit, le tampax redevint citrouille.

☆

C'est un monsieur très citadin, très parisien qui est en vacances à la campagne. Il sympathise avec Eugène Poulossière, tant et si bien que ce dernier lui dévoile ses petits secrets :

– Tenez regardez, par exemple, quand vient l'heure de la saillie, on a un moyen pour être sûrs que le taureau va monter sur la vache. Parce qu'avec les bêtes, on n' sait jamais. Des fois, le taureau n' veut pas ! Et nous on est drôlement emmerdés parce que, vous savez, il faut que ce soit rentable ! Alors on a un truc. Vous voulez que j' vous montre ?

– Oh oui, faites-moi voir !

– Alors regardez bien ! On rentre le poing dans le derrière de la vache. Après, on frotte le museau du taureau avec le poing. Comme ça le taureau, excité par l'odeur... enfin je n' vais pas vous faire un dessin.

– Oh la vache !

– Exactement !

Les vacances s'achèvent et le Parisien rentre chez lui un peu triste, mais ayant appris plein de choses sur la campagne. Un soir, complètement bourré, il rentre et se couche à côté de sa femme qui dort, et tout à coup une drôle d'idée lui passe par la tête :

– Tiens, j'vais faire comme l'Eugène m'a montré !

Hop il enfile son poing, le retire et se frotte le nez. À ce moment-là, sa femme se réveille et lui fait :

– Qu'est-ce qu'il y a ? Tu t'es encore battu ?

☆

Une petite devinette :

– Quelle différence y a-t-il entre un chercheur d'or et un homosexuel ?

– Il n'y en a pas, les deux secouent leur petite amie !

☆

C'est Bruno Tortellini qui entre dans un restaurant. Il s'assoit, s'installe et aussitôt le serveur arrive et lui demande :

– Oui monsieur ? Vous avez choisi ?

– Jé voudrais, ouné tranche dé foie dé veau... comment on dit en français, ouné tranche dé foie dé veau...

Le serveur lui fait :

– Persillée ?

– Non pas persillée ! Per manger !

☆

C'est Guytou et Jean-Xavier qui fêtent leurs dix ans de vie commune. Pour marquer la chose, ils décident de s'offrir un beau voyage et partent au Groenland. Alors ils prennent l'avion avec leurs petits billets, leurs petits sacs Hermès et tout ce qu'il faut pour le voyage : le petit flacon de Ricqlès et des petits mouchoirs parfumés des fois qu'il y ait des zones de dépression, mais aussi des petits mouchoirs non parfumés, des fois qu'ils traverseraient des zones de flatulence. Bref, ils sont bien équipés.

L'avion a décollé et vole depuis un quart d'heure quand le commandant de bord prend le micro et dit :

– Chers passagers, merci d'avoir choisi notre compagnie. Je vous signale que nous sommes en train de survoler la Saône sur la gauche de l'appareil.

– Qu'est-ce qu'il a dit ? demande Guytou qui est un peu sourd.

– Il a dit qu'on survolait la Saône ! La Saône !

– Ah bon !

Une heure plus tard, le commandant de bord reprend le micro et annonce :

– Nous venons d'amorcer un virage à 20 000 pieds au-dessus de l' Écosse...

– Qu'est-ce qu'il a dit ? recommence Guytou.

– Qu'on survole l'Écosse ! lui explique Jean-Xavier.

Deux heures après, toujours le commandant de bord :

– Sur votre gauche vous apercevrez l'Islande, capitale Reykjavik.

– Qu'est-ce qu'il dit ? Qu'est-ce qu'il dit ?

– Mais tu m'énerves ! Tu ne vas pas me demander ça pendant tout le voyage ? Il a dit qu'en dessous c'était l'Islande !

Et ainsi de suite durant tout le long du voyage. Finalement, juste avant d'arriver, le commandant prend une dernière fois le micro et déclare :

– Mesdames et Messieurs, dans quelques instants nous allons nous poser au Groenland. La température y est de moins quarante sous abri, et je vous rappelle que quatre-vingts pour cent de la population est atteinte de maladies vénériennes, les vingt pour cent restant souffrant de bronchite chronique...

– Qu'est-ce qu'il a dit ? Qu'est-ce qu'il a dit ?

– Oooh ! Il a dit qu'on pouvait se taper tous ceux qui toussent !

☆

Quelle différence y a-t-il entre des caca-huètes et un clitoris ?

– Il n'y en a pas, ce sont des amuse-gueule !

☆

C'est l'histoire de Maurice qui est représen-tant en aspirateurs débouche-wc, la toute der-nière nouveauté de la marque Rougeanette-Topnet. Un matin, comme il prospecte la Seine-Saint-Denis, il sonne chez Ginette. Elle habite un F3 à Sarcelles, square Jean-Jaurès.

– Dring !

– Qu'est-ce que c'est, aow ?

– C'est la maison Rougeanette-Topnet qui vient vous présenter le dernier cri de la techno-logie, commence Maurice. D'ailleurs, si le hasard fait bien les choses, peut-être avez-vous besoin d'un aspirateur débouche-wc ?

– Oh ça va ! Y en a marre, des représentants ! Ça défile à longueur de journée pour nous vendre des conneries qui ne marchent même pas !

– Hein ? Mon truc, il ne marche paaaas ? Vous rigolez ou quoi ? Écoutez, où sont vos toilettes, je vais vous faire une démonstration ! Vous allez voir ça, si mon débouche-wc ne marche paaaas ! Vous rigolez, non ? Tenez, regardez !

Maurice branche le truc, appuie sur le bouton et retire la ventouse. Et là, ô surprise, il y a la tronche d'un mec qui apparaît dans les wc.

– Qu'est-ce que vous foutez là, dans mes wc ? demande Ginette.

Et le mec de lui répondre :

– Bah j'en sais rien ! J'étais tranquillement chez moi, aux toilettes, quand tout à coup... j'ai été aspiré, quoi !

– Mais vous habitez où ?

– Au rez-de-chaussée !

☆

Ça se passe dans la savane africaine et c'est un guerrier bantou qui est en train de chasser le lion. Il est là, il vise le lion avec son arc et la flèche part. Mais, un tout petit peu nerveux, il a mal ajusté son coup et rate sa cible. Malheureusement le lion se réveille, voit le guerrier bantou et se dit :

– Non mais y m' cherche, çui-là ! J' vais m' le bouffer !

Et le voilà qui commence à courir derrière le chasseur. Le guerrier bantou prend les jambes à son cou mais, au bout d'un moment, il n'en peut plus et, épuisé, il tombe au pied d'un arbre. Sentant que sa dernière heure est venue et que le lion va le bouffer, le guerrier fait une prière :

– Seigneur ! Seigneur ! Inspirez à cette bête un sentiment chrétien !

Là-dessus le lion arrive et dit :

– Seigneur, bénissez ce repas...

☆

C'est Ginette qui est institutrice en Seine-Saint-Denis et qui fait la classe aux tout-petits, Un matin, elle leur distribue une très très belle poésie et leur dit :

– Voilà ! Dans une demi-heure montre en main, aow, je vous demanderai de la réciter par cœur. Et gare à celui qui n'y réussira pas !

Aussitôt les élèves se mettent à apprendre. Certains recopient la poésie en silence, d'autres la récitent du bout des lèvres, et enfin, au fond de la classe, il y a un cancre qui n'arrête pas de cracher dans sa main et de se la passer sur le front. Tout à coup Ginette remarque son manège et lui demande :

– Mais qu'est-ce que tu fais, aoww ?

– Ben c'est pour ma poésie, madame !

– M'enfin ! Mais pourquoi tu fais ça ? Tu craches dans ta main et puis tu te mouilles le front. Tu es complètement fou ou quoi ?

– Mais non, puisque j' vous dis qu' c'est pour ma poésie, et qu' ça va m'aider !

– Mais je ne vois pas le rapport !

– Bah si : l'autre jour, je passais devant la chambre de mes parents et j'ai entendu maman qui disait à papa : « Bon, ben mouille la tête, ça rentrera mieux ! »

☆

Sainte-Julie-du-Poitou, terre de contrastes ! C'est Fernande Poulossière qui est au lavoir et qui lave son linge au battoir. Derrière elle il y a un pré, et dans le pré il y a un veau. Tout à coup, le veau s'approche et commence à la renifler, puis il se met à lécher partout avec sa petite langue.

– Ah nom de diou ! fait la Fernande.

Mais elle ne se retourne pas, parce qu'elle est très occupée. Alors le veau remet ça et la titille partout avec sa petite langue toute râpeuse. Et toujours sans se retourner, il y a la mère Poulossière qui chuchote :

– Écoute, je ne sais pas qui tu es, mais moi je viens tous les mardis !

☆

C'est Jean-Paul II qui visite les États-Unis. Il descend de l'avion, embrasse le sol et s'adresse à la foule venue l'accueillir en disant :

– Hello ! Good day !

Là, dans la foule qui attend le Pape, il y a un type qui est un peu miro et qui croit que c'est le retour d'Elvis Presley et qui se met à hurler :

– Hey ! Look, it's Elvis ! Elvis come back.

Et toute la foule reprend en chœur :

– Elvis ! Elvis ! Elvis !

Alors le Pape consterné dit à la foule :

– No, no ! I'm not Elvis Presley ! I'm Jean-Paul the second !

Mais il n'y a rien à faire, tout le monde croit dur comme fer que c'est le retour d'Elvis Presley. De la même façon, le soir même, quand Jean-Paul II pénètre dans la cathédrale de New York, tous les fidèles se lèvent et se mettent à scander :

– Elvis ! Elvis !

Le Pape commence à en avoir marre et s'écrie :

– What's this sorte of bordel ? I'm not Elvis Presley ! Look ! I have no banana ! I'm the Pape of the catholic church !

Mais les Américains ne veulent rien entendre. Et ça continue comme ça toute la journée. Le soir, Jean-Paul II regagne son hôtel, entre dans sa chambre, et qu'est-ce qu'il voit ? Bo Derek allongée nue sur le lit !

– Oh ! Elvis ! lui fait Bo Derek d'un air langoureux...

Et là, il y a le Pape qui la regarde et qui dit :

– Love me tender...

☆

En plein milieu d'une séance de cinéma, alors que la salle est plongée dans l'obscurité et que tout le monde est pris par le film, on entend tout à coup une jeune femme hurler :

– Aaaaah !

Puis une deuxième :

– Ouououh !

Et une troisième :

– Aowwww !

Tant et si bien que le directeur du cinéma interrompt la projection, rallume la salle et descend pour voir ce qui se passe. Là, entre deux rangées de fauteuils, il trouve un pépère à quatre pattes et lui demande :

– Mais monsieur, qu'est-ce que vous faites ?

– Excusez-moi, fait l'autre. Voilà ce qui se passe... J'ai perdu ma moumoute. Alors comme je suis un peu bigleux, je la cherche partout. Le problème, c'est que ça fait trois fois que je mets la main dessus, et ça fait trois fois qu'elle se barre en courant !

☆

C'est un explorateur qui veut traverser le désert de la mort. Alors il s'équipe, achète un chameau, un fusil et de la nourriture pour un mois, tout ça, Et puis avant de partir, quand même, il se renseigne un tout petit peu. Il va voir un indigène du coin et lui demande :

– Dites-moi, mon brave, le désert, à part la chaleur qui règne dans la journée et le froid qu'il fait le soir, on ne risque rien ?

L'autre lui fait :

– Ah si ! Ah si ! Il y a un grand danger, c'est un oiseau qui vit dans le désert... Il s'appelle le pic chetron. C'est un oiseau qui plane comme ça, et quand il voit un homme qui marche dans le désert, il pique droit dessus le bec en avant et lui cogne la tête. Croyez-moi, ça fait très mal...

– Il y en a beaucoup ?

– On ne sait pas combien, mais en tout cas il y en a bien assez... Et il faut faire attention le jour comme la nuit, car on ne l'entend pas venir !

Alors l'explorateur part dans le désert, et toute la journée, obsédé par le danger que représente le pic chetron, il reste sur ses gardes. Dès qu'il entend le moindre vent, il se dit : « Ça y est, c'est le pic chetron » et il se met à marcher avec les mains sur la tête. Bref, ça devient une vraie fixation.

Quand vient le soir, l'explorateur décide de s'arrêter pour dormir et se dit : « Ah non, non !

ce n'est pas prudent : si je m'endors comme ça, sans protection, le pic chetron peut surgir dans la nuit et me tomber dessus. Alors voyons, qu'est-ce que je pourrais faire ? » Tout à coup, le mec décide de faire comme les autruches : il creuse un trou dans le sable, se met la tête dedans et s'endort comme ça.

Cinq minutes plus tard, un Bédouin passe par là, voit les fesses du mec et se dit :

– Mais qu'est-ce que c'est qu'ça ? Ouh aïe aïe ! Ça fait des mois que j'en ai pas vu, je n' vais pas laisser passer une occasion pareille !

Et hop, ni vu ni connu, le Bédouin se place derrière le mec et crac-crac... À ce moment-là l'explorateur se réveille, et du fond de son trou on l'entend dire :

– Je m'en fous, continue à piquer, tu n'es pas prêt d'avoir ma tête !

☆

Aujourd'hui, madame Grinder est un peu triste. Alors, pour se changer les idées, elle va au marché Saint-Pierre : il n'y a que là qu'elle peut trouver ces bons crottins de Chavignol qui sont son péché mignonch...

Seulement le crottin de Chavignol c'est bien joli, mais ça ne résout pas le problème des personnes seules et madame Grinder se demande :

– Qu'est-ce que je vais me faire comme plateau télé, ce soirch, pour regarder le Sabatierch ? Peut-être une matelote d'anguille avec quelques haricots...

Elle en est là de ses pensées quand par hasard, tout à coup, elle tombe sur le docteur Jacquot qui lui dit :

– Eh bien, chère madame Grinder ! comment allez-vous ?

– Toujours veuve, monsieur le docteur, toujours veuve !

– Pas possible ! À votre âge ? Mais qu'est-ce qui vous empêche de refaire votre vie ?

– Vous savez, je l'ai déjà refaite plusieurs fois. C'est quand même le quatrième mari que je perdsch, vous savez ! Vous vous rappelez le premier ? Oh, un homme charmant ! Il avait une très belle situation, il était tailleur de crayonsch... Mais que voulez-vous, mine de rien, il est mort du tétanos !

– Eh oui ! Que voulez-vous, madame Grinder, on est peu de chose...

– Et le deuxième ? Ah, mon deuxième mari ! Oh, un homme charmant, lui aussi ! Il était chômeur ! Au moins, l'argentch rentrait régulièrementch ! Et lui aussi, il est mort du tétanos !

– C'est vraiment une terrible maladie... Et rien à faire pour la guérir !

– Et mon troisième marich, vous l'avez connu ? Militaire de carrière ! Le colonel du

Granit ! Mort lui aussich ! Et lui aussi du tétanos !

– C'est épouvantable, et quelle agonie !

– Et le quatrième ça y est, on l'a enterré
hierch ! Le tétanos égalementch !

– Eh oui ! Ce sont des choses qui arrivent. La
science ne peut pas tout, madame Grinder !

– Bon alors docteur, je vous pose la question :
quand est-ce que vous vous décidez à m'enlever
ce stériletch ?

☆

Maurice vient d'ouvrir un petit magasin sur
le quai de la Mégisserie et il vend toutes sortes
d'animaux. Un jour, un fakir pousse la porte et
lui demande :

– Bonjour monsieur ! Voilà, j'ai besoin
d'acheter deux serpents pour mon spectacle !

– J'ai ce qu'il vous faut ! Tenez, j'ai celui-ci à
deux mille francs et celui-là qui fait quatre mille !

– Mais je ne comprends pas, pourquoi cette
différence de prix ? Ils sont rigoureusement
identiques !

– Ah non, non ! Le premier c'est un serpent à
lunettes, et le deuxième a des verres de contact !

☆

C'est un monsieur qui a des doutes sur la fidélité de sa femme. Alors forcément, au bureau, il est tellement préoccupé qu'il travaille moins bien. Un jour, son chef de service le remarque et lui fait :

– Ben alors, mon petit Bertrand, ça n'a pas l'air d'aller ? Vous avez l'air bien soucieux !

– Oh ! vous savez, monsieur le chef de service, je n'y peux rien : j'ai l'impression que quand je ne suis pas là, quand je suis au bureau, ma femme en profite pour me tromper. C'est une impression, mais j'en suis presque sûr !

– Avant d'accuser, mon petit Bertrand, il faut avoir des preuves ! Alors écoutez ! Ça m'est arrivé plus souvent qu'à mon tour. Donc, croyez-en ma vieille expérience, ce qu'il faut, c'est en être sûr. Je vais vous donner un petit truc. Avant de partir au bureau, vous placez un bol de lait sous le lit avec une cuillère attachée au sommier avec une ficelle. Comme ça, avec le poids, s'il y a deux personnes sur le lit pendant que vous n'êtes pas là, la cuillère, n'est-ce pas, va tremper dans le lait. En rentrant chez vous, le soir, vous n'aurez qu'à vérifier ce qu'il en est… Et après, vous aviserez !

– Ah mais c'est pas con, monsieur le chef de service !

– Eh, je ne suis pas chef de service pour rien, quand même !

Deux jours plus tard, le chef de service repasse dans le bureau et demande :

– Alors, mon petit Bertrand, vous avez fait ce que je vous ai dit ?

– Ouais, je l'ai fait ! Ouais...

– Et alors ?

– Le bol était plein de beurre !

☆

Ça se passe pendant la guerre. Les Allemands s'apprêtent à envahir un petit village près de Bruxelles et les Belges se disent :

– On n'a qu'à se cacher dans le puits du village, comme ça les Allemands nous trouveront pas !

Mais un autre Belge rétorque :

– C'est bien gentil mais tout de même ! Et si l'officier allemand vient parler au bord du puits, il s'apercevra forcément qu'il n'y a pas d'écho, puisqu'on sera au fond...

– Ben c'est pas grave, je ferai l'écho !

Alors ils se cachent, et cinq minutes après un officier allemand arrive au bord du puits en disant :

– Ah ben ça alors ! Il n'y a personne, dans ce village ?

Et au fond du puits le Belge répète :

– Il n'y a personne dans ce village, village, village ?

– Je me demande où sont passés les habitants !

– Je me demande où sont passés les habitants, bitants, bitants !

– Peut-être qu'ils sont allés se cacher dans la montagne !

– Peut-être qu'ils sont allés se cacher dans la montagne, tagne, tagne !

– À tout hasard, je vais quand même jeter une grenade au fond de ce puits.

– C'est pas pour dire, mais je crois quand même qu'ils sont allés se cacher dans la montagne, tagne, tagne !

☆

C'est Maurice qui rencontre un copain et qui lui dit :

– Alors ? Tu as envoyé ta femme au Club Med, cette année ?

– Non, cette année je n'avais pas d'argent, alors je l'ai baisée moi-même !

☆

C'est un monsieur qui part faire un safari photo au Kenya. Un guide l'accompagne et lui explique :

– Tenez, regardez à droite par exemple, vous avez un Africain qui est en train de construire sa case avec de la boue et de la paille mâchée.

– Oh, c'est étonnant ! C'est formidable ! Comme c'est typique, cette vie rurale !

Et clic-clac, il prend sa photo. Cinq minutes après, le guide lui dit :

– Si vous regardez à droite, vous verrez un autre Africain en train de couper du bois pour faire chauffer son repas.

– Formidable cette vie rurale, comme c'est typique !

Et reclic-clac.

Tout à coup, en revenant près du camp, qu'est-ce qu'il aperçoit ? Sa femme en train de se faire sauter par un énorme Noir !

Et là-dessus, le guide de lui dire :

– Droit devant vous, encore une scène typique de la vie rurale : c'est un Africain qui fait du vélo !

– Permettez, c'est mon vélo !

☆

C'est Guytou et Jean-Xavier qui se promènent du côté des Champs-Élysées. Tout à coup, Jean-Xavier remarque sur un réverbère une affiche fraîchement collée et qui proclame : « Pour réaliser son projet, Dieu a besoin des hommes. » Alors il se tourne vers Guytou et lui fait :

– Tu vois, lui aussi !

☆

C'est le directeur d'un asile de fous qui vient de libérer un pensionnaire. Et puis quand même, il est pris d'une sorte de remords. « Peut-être qu'il n'était pas guéri ! se dit-il tout à coup. Je l'ai peut-être fait sortir trop tôt ! Je devrais le convoquer pour voir si je n'ai pas fait une connerie. »

Deux jours après, convoqué, le mec se présente dans le bureau du directeur et lui dit :

– Bonjour, monsieur le directeur...

– Bien l'bonjour, mon ami ! Alors dites-moi, comment ça va depuis qu'on vous a libéré ? Pas de problème, vous vous adaptez bien ?

Et avec un grand sourire le mec lui répond :

– Non non, pas de problème ! C'est vraiment supergénial !

– Ah bon ? Racontez-moi ça ! Tiens, par exemple, qu'est-ce que vous avez fait lundi ?

– Oh lundi, j'ai vu un truc formidable. Je me baladais dans la rue, un mec voulait traverser quand il a été fauché et décapité par un auto-bus. Le mec s'est relevé, a ramassé sa tête et l'a mise sous le bras, puis il est allé chez le premier coiffeur, a posé sa tête sur le comptoir et a dit : « Faites-moi la raie au milieu. »

Le directeur qui dit :

– Mais vous êtes complètement fou, mon ami ! Qu'est-ce que vous me racontez là ! Tout le monde sait bien que les coiffeurs sont fermés le lundi, voyons !

☆

C'est un petit garçon et une petite fille qui jouent sur la plage et le petit garçon n'arrête pas d'embêter la petite fille : il la taquine, lui tire les nattes... Tant et si bien qu'au bout d'un moment, la petite fille baisse sa culotte et dit au petit garçon :

– Si tu continues à m'embêter, ma bébête poilue va t'attaquer !

Là-dessus le petit garçon baisse sa culotte lui aussi et s'écrie :

– Vas-y mon kiki ! Défends-toi !

☆

Savez-vous pourquoi les prostituées belges n'ont pas de poils ?

– Vous avez déjà vu du gazon sur une autoroute à grande circulation, vous ?

☆

C'est le petit Guigui qui demande un jour à sa Mamie, madame Grinder :

– Eh, Mamie, c'est quoi une fiancée ?

– Une fiancée ? Comment dire... Voyons... c'est un peu comme si je t'offrais une bicyclette mais que t'aurais pas le droit de t'en servir tout de suite.

– Ah bon ! Mais je peux quand même jouer avec la sonnette ?

☆

Un vieux lapin qui a été reproducteur s'apprête à prendre sa retraite, alors il appelle son petit lapereau et lui dit :

– Écoute, mon fils ! Voilà, il est grand temps que tu prennes la succession de ton vieux papa. Je vais donc t'apprendre l'essentiel du métier de reproducteur.

– Oh oui papa ! Chouette, papa ! Vas-y, explique !

– Alors c'est très simple. On va te mettre dans une cage avec plein de lapines. Mais tu ne perds pas de temps : pas question de tomber amoureux. Il faut toutes les honorer en un temps record sinon le fermier ne sera pas content. Par contre, si tu dois être rapide, ça n'empêche pas d'être poli : bonjour, madame, merci madame. C'est un minimum. T'as compris ?

Et le petit lapin de lui répondre :

– Pas d' problème, je commence quand tu veux !

– Alors tu commences tout de suite ! Attention, je chronomètre !

Là-dessus le petit lapin se met aussitôt au boulot et on entend :

– Bonjour madame ! Merci madame !

Et puis crac-crac...

– Bonjour madame ! Merci madame !

Et encore crac-crac...

– Bonjour madame ! Merci madame !

Et toujours crac-crac....

Et tout à coup, dans la chaleur de l'action, on entend le petit lapin qui fait :

– Bonjour papa ! Merci papa !

☆

C'est madame Grinder qui a décidé d'apprendre l'anglais en s'offrant un séjour dans un hôtel londonien. Un midi, elle regarde le menu et demande au garçon :

– Please ? What's a vermicelli soup ?

– C'est un potage au vermicelle, madame ! Vous savez, du vermicelle en forme de petites lettres...

– Ah oui, je vois ! Oui, c'est ce qu'on donne aux gaminsch ! Alors je vais prendre a vermicelli soup !

Cinq minutes après on lui sert une pleine assiette de soupe au vermicelle, et comme elle a du temps à perdre, elle s'amuse à compter les lettres...

Tout à coup, madame Grinder rappelle le serveur et lui fait :

– Dites donc ! Je viens de trier les vermicelles, et la lettre « Q » n'y figure pas ! Comment ça se fait ?

– C'est parce qu'on a un chef français, madame !

– Je ne vois pas le rapport !

– Ben si ! Il bouffe tous les « Q » qui passent !

☆

Le Maurice, ce qu'il peut être frimeur, mais frimeur ! Par exemple, tout en jouant avec son trousseau de clés, il raconte à Ginette :

– Putain ! Moi, tous les étés, je fais du sport ! Tenez, l'été dernier, je suis allé dans les Rocheuses...

– Ah la la ! Les montagnes ?

– Ouais, les montagnes, et ce qu'elles sont raides, aïe aïe aïe ! Eh bien, figurez-vous que j'ai escaladé ça sans rien, sans crampon ni piolet, et même pas de corde ! À mains nues, juste avec mes baskets !

Et Ginette lui fait :

– Oh ! la la ! Mais vous jouez avec votre vie ?

– Non, là c'est mes clés !

C'est Guytou dans sa Fiat Homo qui tombe en panne en plein milieu des Champs-Elysées.

– Qu'est-ce qu'il y a ? Qu'est-ce qui se passe ? Ça marchait bien et puis d'un coup... tchtchtch ! C'est pas possible ! Pas à moi !

Derrière lui, un livreur avec un énorme camion commence à s'impatienter et lui fait :

– Eh ! Oh ! Dis, tu te décides à dégager ? Je bosse, moi !

– Excusez-moi, je ne sais pas ce que c'est, peut-être le gicleur, ou alors c'est la direction. Je ne sais pas...

– Bon, qu'est-ce que tu attends ? Tu veux que je te pousse ta merde ?

– Bah j'dis pas non, mon chéri, mais alors qu'est-ce qu'on fait de la voiture ?

☆

Deux petites vieilles sont dans un jardin public et il y en a une qui dit avec un gros soupir :

– Ouais, de notre temps, les jeunes étaient plus vaillants en amour. Ils savaient rester plus longtemps, et puis ils revenaient. Après on se mariait et ça durait...

L'autre lui fait :

– T'as raison ! Maintenant un petit coup comme ça, vite fait mal fait, et puis plus rien ! Si c'est pas malheureux...

Là-dessus la vieille dame se penche, aperçoit une capote et la ramasse en disant :

– En plus, ils laissent le meilleur !

☆

C'est Ginette qui est allée chez le docteur se faire faire un ketchup. Le soir, elle rentre à la maison et dit à Jean-Loup :

– Oh ! Jean-Loup ! Tu verrais le nouveau docteur aowww ! Oh ! la la ! Il est jeune et tout ! Et puis j'ai l'air de lui plaire. Il m'a examinée, il m'a dit que j'avais de beaux cheveux, puis il m'a dit que j'avais de belles hanches et même une très belle poitrine... Tu te rends compte ?

Tout à coup Jean-Loup en a marre et lui fait :

-- Bon ça va ! Arrête ! Et pendant qu'il y était, par hasard, il ne t'a pas dit que tu avais un beau con ?

-- Non, il ne m'a pas parlé de toi !

☆

Le moins qu'on puisse dire, c'est que le fils d'Eugène et Fernande Poulossière est un peu benêt. Un soir, pendant que son père est en train de lire *Le Gai Laboureur*, il se met tout à coup à crier :

– Papa ! Papa !

– Qu'est-ce qu'il y a ? Arrête de m'emmerder, tu vois bien que je suis en train de lire un article sur le prix des semences !

– Mais papa ! Papa ! Qu'est-ce que c'est, un clitoris ?

– Bah j'en sais rien ! Tu m'emmerdes ! Va demander à ta mère !

Alors le petit va voir Fernande et lui demande :

– Maman ! Maman ! Dis, qu'est-ce que c'est, un clitoris ?

– Mais c'est pas l'moment ! Tu vois bien que je suis en train de préparer la potée, vingt diou ! Va demander à ton père !

– Mais c'est lui qui m'envoie !

– Ça ça m'étonne pas, il a jamais été foutu de mettre le doigt dessus !

☆

C'est Jean-Pierre Foucault qui se promène au bois de Boulogne en tenant un pingouin en laisse. Là-dessus un agent arrive et lui fait :

– Dites donc, vous savez que c'est interdit de se promener avec un chimpanzé ?

– Mais monsieur l'agent, ce n'est pas un chimpanzé…

– Ce n'est pas à vous que je parle !

C'est Francois Mitterrand qui est reçu à Buckingham Palace par la Queen, puis quand la cérémonie s'achève la souveraine le prend par le bras et lui dit :

– Venez, j'allions vous faire visiter London !

À peine sont-ils montés dans le carrosse qu'un des chevaux lâche un grand pet. Alors la reine rougit jusqu'aux oreilles et fait à mi-voix, d'un air gêné :

– Oh ! shocking ! I'm so sorry !

Et Mitterrand de lui répondre :

– Ne vous inquiétez pas, Majesté, ça restera entre nous !

☆

Une fois de plus, Ginette n'a pas le moral et s'en plaint à Josy, sa meilleure amie :

– Putain, ça va pas ! Tu comprends, je mène une vie d'conne ! J'ai pas d'mec, je ne m'intéresse à rien, je flippe tout l'temps, aow. Non, ça peut pas durer comme ça !

Josy lui répond calmement :

– Bon écoute ! Te laisse pas abattre ! Si tu n'as pas de mec, ce n'est pas bien grave. D'ailleurs, il y a des trucs qui remplacent avantageusement les mecs, tu sais...

– Ah oui, aow, et dis-moi quoi ?

– Je ne sais pas, moi ! Tiens, tu n'as qu'à t'acheter un vibromasseur !

– Qu'est-ce que c'est ?

– Un accessoire sexuel, si tu vois c'que j'veux dire... Ça remplace complètement les mecs. En plus, on peut l'emmener en voyage, et ça tombe jamais en panne...

– Génial !

Et Ginette de courir s'acheter un vibromasseur. Mais le lendemain, elle fait une tête comme ça à Josy et lui dit :

– Merci pour ton conseil, ça m'a fait sauter tous mes plombages !

☆

Madame Grinder est inquiète : sa chatte persane refuse de manger son Whiskas. Alors elle l'emmène d'urgence chez le vétérinaire, le docteur Robert Jacquot, le frère du docteur Jacquot.

– Écouteeeez, je vais l'examiner !

Il attrape la chatte, la tâte dans tous les sens et finit par dire :

– Mais ce n'est rien du tout, madame Grinder ! Vous savez que les chats ont l'habitude de se lécher ? Or, comme ils ont la langue râpeuse, ils ne peuvent pas faire autrement que d'avaler les poils. Alors à force, dans le ventre, les poils finissent par former une boule qui grossit petit à petit et qui leur bouche l'estomac...

– Ah bah voilà, maintenant je comprends de quoi est mort mon marich !

☆

C'est un monsieur qui a fait naufrage avec six femmes. Six femmes pour lui tout seul ! Résultat, très rapidement, les femmes s'organisent et se partagent le mec : il y en a une qui se réserve le lundi, une deuxième le mardi, une troisième le mercredi... et ainsi de suite jusqu'au dimanche, où le mec reste célibataire pour ne pas faire de jalouse.

Ça fait bientôt un an que ça dure quand tout à coup, un beau jour, un deuxième mec échoue sur la plage. Le naufragé se dit « chic alors, grâce à lui on va s'y mettre à deux et je serai plus tranquille ». Histoire de le ranimer, on lui donne deux-trois claques, puis le type finit par ouvrir les yeux et dit :

– Oh ! vous m'avez sauvé ! Je vous remercie !

– Comment vous vous appelez ?

– Moi, c'est Jean-Guytou... Et vous, mon garçon, avec ces adorables yeux bleus, c'est comment votre petit nom ?

– Et merde, voilà que mon dimanche est foutu !

☆

C'est un jeune homme un peu maniéré qui va déjeuner dans un restaurant très chic avec de belles nappes, un joli éclairage, des amours de couverts et tout. Bref tout se passe bien, jusqu'à ce qu'il décide d'aller aux toilettes : quand il en revient, il a l'air très contrarié et ça ne va plus du tout, il appelle le maître d'hôtel et lui dit :

– Je pourrais parler au patron ?

– Mais bien sûr ! Monsieur a mal mangé ? Monsieur n'est pas content ?

– Écoutez, ça ne vous regarde pas, je voudrais parler au patron.

Le patron arrive sur-le-champ et lui demande :

– Pardon, monsieur, que se passe-t-il ? Le poulet était trop cuit ?

Là-dessus, le jeune homme s'approche du patron et commence à lui caresser la joue. Le mec devient tout rouge et lui fait :

– Enfin monsieur, je vous en prie !

Mais le client lui caresse déjà l'autre joue en disant :

– Voilà, j'ai un truc très important à vous dire : il n'y a plus de papier dans les toilettes...

☆

Ginette, Jean-Loup, Guytou et Jean-Xavier se sont inscrits dans une école d'agriculture. Et quand vient le samedi, ils vont faire des travaux pratiques dans la ferme d'Eugène Poulossière qui leur explique :

– Les gars, les livres c'est une chose ! Mais il y a le travail sur le terrain, et c'est ça le plus important. Moi qui suis paysan, je peux vous dire que tout se passe sur le terrain. Alors, aujourd'hui, je vais vous apprendre à préparer le poulet. Faut être courageux. Vous prenez l'animal par les pattes, de l'autre main vous prenez le couteau et vous lui coupez le cou. Ensuite vous le plumez. Et pour voir si le poulet n'a pas de maladie, il n'y a qu'un moyen. Les manuels, c'est des conneries, je peux vous dire qu'il n'y a qu'un seul moyen : vous mettez le doigt dans le fion du poulet et vous goûtez. C'est la seule façon de savoir. Bon, qui de vous se sent capable de préparer un poulet ?

Ginette devient toute blême et fait :

– Oh non, je ne peux pas, aowww ! Oh putain, c'est flippant ! Je ne peux pas faire ça ! Non, vraiment, je préfère ne plus manger de viande...

Jean-Loup n'est pas plus fier :

– Oh non, c'est dégueulasse ! C'est vraiment trop dégueulasse, je peux pas faire ça !

Poulossière finit par s'énerver et désigne Guytou au hasard :

– Bon alors ça suffit comme ça ! Vous, vous me prenez le couteau et vous faites comme je vous ai dit !

– Vraiment, je dois tuer cette pauvre bête ?

– Oui ! Et vous avez intérêt à faire vite, c'est moi qui vous l'dis !

Alors Guytou tranche le cou du poulet puis le plume en faisant une grimace de dégoût, et là-dessus l'Eugène lui dit :

– Bon très bien, maintenant vous m'vérifiez s'il n'a pas de maladie...

– Oh non, c'est pas possible !

– Vite, ou vous allez goûter d'ma fourche !

– Voilà, voilà, vous énervez pas ! Oh berk, c'que c'est dégueulasse !

– Eh ben mon gars, je vais te dire un truc. Quand on est paysan, faut être rusé. Parce que moi, tout à l'heure, dans le cul de la poule, j'ai trempé le pouce mais après j'ai sucé l'index !

☆

Le Maurice, il a encore changé d'métier. Maintenant, il est VRP. Avant, il était représentant en fermetures Éclair. Alors forcément, tant qu'à faire de la route, il prend souvent des auto-stoppeuses. Un jour, il fait monter une Ginette et lui demande :

– Qu'est-ce que vous faites, dans la vie ?

– Rien ! Si vous voulez, en ce moment, je flippe !

– Ah bon ! C'est bien ! Vous vendez des flippers ?

– Non ! Je veux dire, je ne suis pas bien, si vous voulez ! La société de conso, tout ça... Je me sens interpellée au niveau du vécu, j'ai un mal d'être...

Alors à force de discuter ils sympathisent, et la Ginette finit par faire à Maurice une petite gâterie. À un moment, au comble de l'extase, Maurice ne fait plus attention à la route, il rate un virage et donne un mauvais coup de volant. Les voilà qui font un tonneau, deux tonneaux... Un vrai désastre. Cinq minutes après, les premiers secours arrivent... Maurice ça va, en gros il est indemne, et tout de suite il s'inquiète de savoir ce qu'il en est de Ginette...

– Ah bon, vous n'étiez pas seul ? fait le secouriste. Attendez, on va chercher...

Ils cherchent Ginette partout, puis ils finissent par en retrouver un morceau et viennent dire à Maurice :

– Ben écoutez, c'est embêtant, mais votre copine…

– Quoi, ma copine ?

– Ben on en a juste retrouvé la bouche !

– Alors ça va, ouvrez-la, j'ai laissé quelque chose dedans !

C'est Maurice qui a gagné au loto :

– Chérie ! Ça y est ! J'ai gagné trois milliards au loto !

– Oh mon amour, c'est merveilleux ! Je vais tout de suite préparer les valises ! Qu'est-ce que je prends, les affaires d'hiver ou les affaires d'été ?

– Tu laisses ma valise, tu fais la tienne et tu te casses !

Ça se passe au Kenya. Deux mecs en jeep se promènent en pleine savane, un Marseillais et un monsieur très chic qui ne se connaissaient pas l'heure d'avant. Alors voilà, ils roulent, et au bout d'un moment le Marseillais dit au monsieur très chic :

– Vous ne pouvez pas vous arrêter deux secondes ? J'ai envie de faire pleurer fauvette !

Le monsieur très chic arrête la voiture sans un mot et le Marseillais descend, baisse son pantalon puis fait pipi contre un arbre. Il va pour remonter sa braguette quand tout à coup un serpent venimeux de la pire espèce, un crotale de Chavignol, lui saute dessus et le mord au zizi...

– Ooooh putain ! s'exclame le Marseillais. Vite, j'ai été piqué, prenez le téléphone portatif et appelez le docteur !

– Du calme, une seconde, je vous en prie ! Allô, allô ! L'hôpital de Bangalouga ? Pouvez-vous me passer un médecin ?

– Eh bien je suis médecin prrrésentement, lui répond son correspondant.

– Alors voilà, excusez-moi de vous déranger, mais j'ai mon ami qui vient de se faire mordre par un crotale de Chavignol. Quels sont les soins de première urgence ?

– Eh bien prrrenez un couteau, d'un coup de lame ouvrez la plaie à l'endroit de la morsure, ensuite aspirez et crachez....

– Il n'y a rien d'autre à faire ?

– Ah non, non ! C'est prrrésentement la seule méthode !

– Bon, très bien !

Le monsieur très chic raccroche et le Marseillais lui demande :

– Alors putain, qu'est-ce qu'il a dit, le docteur ?

– Eh bien mon pauvre, prenez votre courage à deux mains : il a dit qu'il n'y avait rien à faire !

☆

C'est un jeune homme un peu bizarre qui arrive dans un magasin de farces et attrapes et qui fait :

– Bonjour monsieur, je voudrais un coussin péteur, des boules puantes, du fluide glacial et une langue de belle-mère !

Et le marchand lui répond :

– Très bon choix ! Vous êtes invité à un mariage ?

– D'une certaine façon oui, je me marie ce soir... Seulement voilà, comme je n'ai jamais été très porté sur le cul, je cherche quelque chose d'original pour éviter que ma femme me fasse trop la gueule !

☆

C'est Madame Grinder du temps où elle était mariée. Un jour elle passe du côté de Barbès et qu'est-ce qu'elle voit ? Un charmeur de serpents marocain. Très intéressée, madame Grinder s'approche et lui demande :

– Mais dites-moi, qu'est-ce que c'est que cette chose molle, là ?

– Ça c'est un serpent, madame ! Un cobra d'honneur !

– Ah bon ? Et qu'est-ce que vous faites avec cette flûte ?

– Vous allez voir ! Cette chose molle se redresse et monte ! Regardez !

Alors le mec joue de la flûte, et effectivement, le serpent se dresse. Du coup, le soir même, madame Grinder s'achète un mirliton, attend que son mari s'endorme, s'approche du lit et siffle. Et aussitôt, folle de joie, elle voit le drap qui se soulève. N'y tenant plus, elle arrache le drap, et qu'est-ce qu'elle voit ? Un ver solitaire !

☆

C'est deux puces qui discutent.

– Ça va, toi ?

– Ouais, ça va ! Ça peut aller... Seulement il y a un truc, si tu veux, je ne sais pas où habiter maintenant que l'hiver approche, et tu n'ignores pas que je suis plutôt frileuse. Dis-moi, tu n'aurais pas une idée de l'endroit où je pourrais habiter ?

– Oh si ! Il y a un truc qui est bien. Si tu es frileuse et que tu crains l'hiver, tu devrais habiter dans la foufounette d'une dame. C'est bien parce que c'est toujours au chaud, les femmes portent des culottes...

– Ah ouais ? Eh bien, merci du conseil, je vais faire comme tu m'dis !

Là-dessus, quinze jours après, les deux puces se retrouvent. Et comme la plus jeune n'arrête pas d'éternuer, l'autre lui demande :

– Eh bien alors, ça n'va pas, tu n'as pas suivi mon conseil ?

– Ben si, j'ai fait ce que tu m'as dit, je me suis installée dans la foufoune d'une dame. Seulement je ne sais pas comment, mais le lendemain je me suis retrouvée dans les moustaches d'un mec qui faisait de la moto !

3693

R.I.D. Composition 91400-Gometz-la-Ville
Achevé d'imprimer en Europe (France)
par Brodard et Taupin à La Flèche (Sarthe)
le 9 mai 1994. 1917J-5
Dépôt légal mai 1994. ISBN 2-277-23693-4

Éditions J'ai lu
27, rue Cassette, 75006 Paris
Diffusion France et étranger : Flammarion